I0813676

GUÍA PANHISPÁNICA DE LENGUAJE CLARO Y ACCESIBLE

GUÍA PANHISPÁNICA DE LENGUAJE CLARO Y ACCESIBLE

REAL ACADEMIA ESPAÑOLA

ASOCIACIÓN DE ACADEMIAS
DE LA LENGUA ESPAÑOLA

Obra editada en colaboración con Editorial Planeta – España

RAE - ASALE

Diseño de portada: Planeta Arte & Diseño
Diseño de interior: María Jesús Gutiérrez

Bajo el sello editorial ESPASA M.R.
Avenida Presidente Masarik núm. 111,
Piso 2, Polanco V Sección, Miguel Hidalgo
C.P. 11560, Ciudad de México
www.planetadelibros.com.mx

Primera edición impresa en España: septiembre de 2024
ISBN: 978-84-670-7504-5

Primera edición impresa en México: marzo de 2025
ISBN: 978-607-39-2787-1

Impreso en los talleres de Litográfica Ingramex, S.A. de C.V.
Centeno núm. 162-1, colonia Granjas Esmeralda, Ciudad de México
Impreso en México – *Printed in Mexico*

RED PANHISPÁNICA DE LENGUAJE CLARO Y ACCESIBLE
SECRETARÍA PERMANENTE

Santiago Muñoz Machado
Director de la Real Academia Española
Presidente de la Asociación de Academias de la Lengua Española

PONENCIA DE LA GUÍA

Salvador Gutiérrez Ordóñez
Académico director del Departamento de «Español al día» de la Real Academia Española

ASOCIACIÓN DE ACADEMIAS DE LA LENGUA ESPAÑOLA (ASALE)

Real Academia Española
Santiago Muñoz Machado, *director*

Academia Colombiana de la Lengua
Eduardo Durán Gómez, *director*

Academia Ecuatoriana de la Lengua
Susana Cordero de Espinosa, *directora*

Academia Mexicana de la Lengua
Gonzalo Celorio Blasco, *director*

Academia Salvadoreña de la Lengua
Mario Alberto García Aldana, *director*

Academia Venezolana de la Lengua
Horacio Biord Castillo, *presidente*

Academia Chilena de la Lengua
Guillermo Soto Vergara, *director*

Academia Peruana de la Lengua
Eduardo Francisco Hopkins Rodríguez, *presidente*

Academia Puertorriqueña de la Lengua Española
José Luis Vega, *director*

Academia Norteamericana de la Lengua Española
Nuria Morgado, *directora*

Academia Ecuatoguineana de la Lengua Española
Agustín Nze Nfumu, *presidente*

* * *

Coordinación editorial
Carlos Domínguez Cintas
Responsable de Publicaciones de la Real Academia Española

Coordinación administrativa
Pilar Llull Martínez de Bedoya
Jefe del Gabinete del Director de la Real Academia Española

* * *

RECONOCIMIENTO ESPECIAL

Las obras y proyectos académicos cuentan con la permanente colaboración de la **Fundación pro Real Academia Española,** que, bajo la presidencia de honor de Su Majestad el Rey don Felipe VI, está formada por instituciones y empresas, públicas y privadas, junto con numerosos ciudadanos particulares procedentes de todos los ámbitos de la sociedad civil. La Fundación ha respaldado la realización de la **I Convención de la Red Panhispánica de Lenguaje Claro y Accesible**, organizada por la Real Academia Española los días 20 y 21 de mayo de 2024, y en cuya sesión de clausura se presentó oficialmente la *Guía panhispánica de lenguaje claro y accesible* bajo la presidencia de Su Majestad el Rey.

La Real Academia Española y la Asociación de Academias de la Lengua Española quieren hacer constar su reconocimiento y gratitud por el constante apoyo recibido de la **Secretaría General Iberoamericana**, a cargo de don Andrés Allamand, en esta iniciativa.

Aquí alzó otra vez la voz maese Pedro y dijo:
—Llaneza, muchacho, no te encumbres, que toda afectación es mala.

(*Quijote*, II, XXVI)

Presentación

... En aquel imperio, el arte de la cartografía logró tal perfección que el mapa de una sola provincia ocupaba toda una ciudad, y el mapa del imperio, toda una provincia. Con el tiempo, estos mapas desmesurados no satisficieron y los colegios de cartógrafos levantaron un mapa del imperio que tenía el tamaño del imperio y coincidía puntualmente con él. Menos adictas a estudio de la cartografía, las generaciones siguientes entendieron que ese dilatado mapa era inútil y no sin impiedad lo entregaron a las inclemencias del sol y los inviernos.

J. L. Borges, *Historia universal de la infamia*, texto que atribuye a Suárez Miranda (Lérida, 1658)

Una guía sobre el lenguaje claro se configura y ordena como un mapa esquemático que recoge solo las informaciones esenciales que orientan al viajero a lo largo de los itinerarios comunicativos. Su perfección no reside en la exhaustividad que obsesionaba a los cartógrafos descritos por Borges, porque ese mapa desmesurado terminaría también entregado «a las inclemencias del sol y de los inviernos». Este mapa-guía persigue transparencia, síntesis, comprensión y facilidad de uso. Explicar el lenguaje claro con lenguaje claro.

La Real Academia Española y las academias de ASALE velan por la corrección y la capacidad expresiva del español. Persiguen una lengua transparente en sus descripciones gramaticales, rica en recursos léxicos, segura en su ortografía y dotada de las pautas discursivas de claridad forjadas por nuestros grandes escritores. Una lengua que posibilite el éxito comunicativo en todos los ámbitos: desde la conversación familiar hasta los tratados científicos o humanísticos, desde una solicitud hasta una ley o una sentencia.

Junto a las normas fijadas por los códigos tradicionales (diccionario, gramática y ortografía), la autoridad académica, estudia asimismo los principios que ordenan el discurso, ya sea hablado o escrito. Son preceptos que coordinan las aportaciones de la vieja retórica con la nueva pragmática. De ellos emanan regulaciones del buen uso que actúan como imperativos: «Sé coherente»; «Sé veraz»; «Sé cortés»; «Sé claro». Del cumplimiento o de la violación de estas máximas (entre las que la de claridad ocupa un lugar importante) deriva el éxito o la ruina de la comunicación.

La claridad ha sido un principio de la retórica de todos los tiempos. Nuestro Quintiliano le dedica un capítulo importante a la *perspicuitas* en sus *Instituciones oratorias*. Aparte de defender la transparencia del discurso, señala muchas de las causas que producen oscuridad: las ambigüedades, la presencia de términos que están fuera del uso, la verborrea, la longitud del párrafo («ni sea tan largo que se nos escape el sentido de la oración»), el hipérbaton, los rodeos, etc. En algunos casos, la opacidad había sido un objetivo deliberado, como en el ejemplo del maestro citado por Tito Livio, que incitaba a los alumnos a explicarse de forma oscura («Tanto mejor, pues ni yo lo entiendo»).

Y, si nos atenemos al ámbito jurídico, el principio del lenguaje claro ya se explicitaba en aforismos del derecho romano: «La sencillez es amiga de las leyes», «Las leyes prefieren la sencillez a la complejidad».

En la Edad Media, el Rey Sabio se refiere en varios pasajes a la claridad y la precisión que ha de presidir la escritura de las leyes, para que puedan ser entendidas y no generen interpretaciones equivocadas:

> *Cumplidas deuen ser las leyes, e muy cuidadas, e catadas, de guisa que sean con razón, e sobre cosas que puedan ser segund natura, e las palabras dellas que sean buenas e llanas e paladinas, de manera que todo hombre las pueda entender e retener. E otrosí, an de ser sin escatima e sin punto: porque no puedan de el derecho sacar razón tortizera por su mal entendimiento, queriendo mostrar la mentira por verdad o la verdad por mentira. E que non sean contrarias las unas de las otras.*
>
> (Alfonso X, *Partida Primera*, Título I, Ley VIII)

El ideal renacentista que propugna la naturalidad y claridad halla reflejo en la prosa cervantina. Aparte del conocido pasaje en el que maese Pedro aconseja al titiritero («Llaneza, muchacho, no te encumbres; que toda afectación es mala», *Quijote*, II, XXVI), en el relato de la historia de Basilio y Quiteria se enumeran las virtudes de la corrección: «el lenguaje puro, el propio, el elegante y claro», que es el hablado por «los discretos cortesanos, aunque hayan nacido en Majadahonda» (*Quijote*, II, XIX).

En la Edad Moderna, el barón de Montesquieu fue un destacado defensor de la claridad en las leyes:

> *Se recomienda un estilo de redacción conciso, que utilice las palabras que los hombres emplean habitualmente en su lenguaje ordinario, evitando las expresiones vagas y el lenguaje metafórico, figurado o las cláusulas abiertas.*

(Montesquieu, *El espíritu de las leyes*, Libro XXIX: *«Sobre la forma de componer las leyes»*)

Como detrás de la cruz siempre está el diablo, en el anverso de la norma surgieron violaciones como la opacidad y el retorcimiento. Ya aparecen críticas contra la abogacía en textos de la Edad Media. Así ocurre en la *Danza de la muerte* («Don falso abogado prevalicador,/ que de amas las partes levastes salario», XLIII). En el Renacimiento, Montaigne consideraba que la jurisprudencia era una ciencia generadora de altercados y divisiones, al tiempo que alababa la inteligencia de Fernando el Católico por su decisión de no enviar letrados a América. No fueron menos duros en sus escritos Quevedo o, ya más tarde, Jovellanos.

La situación se ha prolongado hasta la actualidad: el lenguaje de los poderes públicos resulta oscuro, incomprensible. Por eso, frente a la opacidad de disposiciones que afectan a la ciudadanía en todos los ámbitos de su vida, ha cristalizado un movimiento internacional que, bajo la enseña «lenguaje claro», reivindica un nuevo derecho: el derecho a comprender.

Las propuestas de claridad en los textos jurídicos son aplicables a otros ámbitos sin cambiar palabras ni mover comas. Esta *Guía* los incluye en el capítulo «Nuevos horizontes en el lenguaje claro». Por ejemplo, la Administración utiliza una jerga propia e impositiva, como quien habla, interpreta y decide desde el poder. También es asimétrica la relación de las grandes empresas (bancos, aseguradoras, energéticas...) con sus clientes. El laberíntico recibo de la luz o la llamada letra pequeña y otras sutiles trampas de los contratos violan el principio de claridad en dimensiones que afectan negativamente a la vida (y, a veces, al más allá) del ciudadano. La comunicación médica también ha sido hostigada por la pluma de los escritores (Molière a la cabeza). Es un ámbito especialmente singular. Primero, porque el número de tecnicismos que maneja es inmenso (supera ampliamente el medio millón de términos). En segundo lugar, porque el paciente que acude al médico se halla en una situación de bloqueo cognitivo que le impide comprender explicaciones, memorizar pautas e incluso reproducir correctamente el nombre de su patología.

Las disciplinas que abordan su objeto siguiendo un método empírico (ya sean de las ciencias o de las humanidades) crean dialectos técnicos que generan textos oscuros. Aunque la educación de secundaria y bachillerato facilita un acercamiento a los principios y términos de muchas materias, los textos que se dirigen a la gran mayoría deberían realizarse desde un propósito inicial de transparencia.

Contra la máxima de claridad atenta también, por otros procedimientos, el lenguaje vacuo de los políticos y de algunos otros sectores. Según la prodigiosa síntesis de Eduardo Galeano, «Los políticos hablan pero no dicen». Por su impenetrabilidad, su forma de expresarse ha sido denominada *lengua de madera* o *lengua de cemento*. Y ha merecido la voz *neolengua* por su capacidad de deformar o falsear la percepción de la realidad (G. Orwell, *1984*).

Se podrían citar muchos ejemplos, pero en estos momentos ninguno representa una amenaza tan grave contra el derecho a comprender como las numerosas brechas comunicativas que seccionan nuestra sociedad. El desarrollo de la informática y, especialmente, su general aplicación a todos los ámbitos de la vida, ha creado una profunda sima entre los que se han adaptado y los que no han podido seguir su vertiginosa evolución. Es la brecha digital, que no solo no disminuye, sino que crece amenazando a los sectores más débiles. En estos momentos abre un interrogante aún mayor con el devenir incierto e inseguro de la inteligencia artificial.

En resumen, esta *Guía* extiende la reivindicación de claridad a todos los ámbitos en los que el mal uso del lenguaje se convierte en una barrera de incomprensión para la ciudadanía. Abundan en esta obra advertencias, recomendaciones, consejos y recursos... dirigidos para obtener textos diáfanos. Tales orientaciones se apoyan en un breve fundamento teórico que matiza sus razones y su alcance. Se sigue siempre la norma fijada por diccionarios, gramáticas y la ortografía de la RAE y ASALE.

Como avances generales para el logro de la claridad, se propone una buena formación lingüística de los profesionales, una mayor educación en disciplinas científica a los ciudadanos; y, por último, se reclama el papel mediador de profesionales bien formados de la prensa.

En gramática, se efectúa selección de los temas que mayores dificultades plantean a la claridad: prefijos, derivados largos, gerundios, género, pasivas, coordinaciones, subordinaciones... En la sección de discurso se explican problemas frecuentes: el párrafo largo, los incisos, las enumeraciones, los rasgos que configuran el llamado estilo jurídico...

En semántica se abordan conceptos que no siempre hallan acomodo en las guías, pero que son necesarios para comprender las razones que subyacen a la opacidad lingüística: significado, sentido, connotación, presuposiciones, implicaturas, ambigüedad, vaguedad, indeterminación, contradicciones, paradojas, eufemismos, redundancias...

El respeto de las normas ortográficas es esencial para la claridad de los mensajes escritos. Se destaca en esta *Guía* la influencia que en la claridad tienen la acentuación, la puntuación, el uso adecuado de las mayúsculas, así como el efecto de opacidad causado por las palabras no digeridas que nos llegan de fuera, lo que llamamos los extranjerismos crudos.

Lenguaje claro y accesibilidad comunicativa mantienen estrechos vínculos. Ambos conceptos coinciden en un mismo objetivo: solucionar problemas en la comprensión de mensajes. La accesibilidad, noción creada para eliminar barreras a las personas con discapacidad, ha evolucionado hacia un diseño pensado desde el inicio para servir a todos y en todas las circunstancias (diseño universal). Como consecuencia, sus aportaciones enriquecen en no pocos aspectos la claridad de todo tipo de comunicados, desde las indicaciones de orientación en espacios públicos, hasta los subtítulos en las películas o incluso en las nuevas propuestas para el aprendizaje.

El acceso a la comunicación es un derecho de las personas con discapacidad, como ya reclamaba Luis Braille, el autor del famoso sistema de transliteración a señales táctiles que lleva su nombre:

> *El acceso a la comunicación en su sentido más amplio es el acceso al conocimiento, y eso es de importancia vital para nosotros. No queremos continuar siendo despreciados o protegidos por personas videntes compasivas. No necesitamos piedad ni que nos recuerden que somos vulnerables Tenemos que ser tratados como iguales y la comunicación es el medio por el que podemos conseguirlo.*

(Luis Braille)

Esta *Guía* dedica un apartado a la lectura fácil, a su relación con el lenguaje claro, a los conceptos sobre los que se fundamenta y los criterios que exige.

La RAE y las academias de ASALE son conscientes de los retos que plantea la conquista de un lenguaje claro y accesible. Como escribe Claudio Rodríguez, es un tesoro de los dioses:

> *Siempre la claridad viene del cielo;*
> *es un don: no se halla entre las cosas*
> *sino muy por encima, y las ocupa*
> *haciendo de ello vida y labor propias.*

(Claudio Rodríguez; *Don de la ebriedad*, I)

Esta *Guía* intenta ofrecer recursos, advertencias, recomendaciones, conocimientos que nos permitan sortear las dificultades del camino y acercarnos, como Prometeo, al fuego divino, sabiendo que, al final, esta vez no habrá castigo, sino luz, luz y claridad en el lenguaje. El milagro es posible, pues tenemos las palabras. Por eso nos animan los versos de Luce López Baralt:

> *Si tuviera palabras*
> *enseñaría a cantar a los ruiseñores.*

(Luce López Baralt, *Luz sobre luz*)

I

Lenguaje claro

—Señor Pérez, salga usted a la pizarra y escriba: «Los eventos consuetudinarios que acontecen en la rúa».
El alumno escribe lo que se le dicta.
—Vaya usted poniendo eso en lenguaje poético.
El alumno, después de meditar, escribe: «Lo que pasa en la calle».
Mairena.—No está mal.

(Antonio Machado, *Juan de Mairena*)

La comunicación

La comunicación es un proceso en el que un emisor, en un contexto dado y siguiendo un código, cifra un contenido conceptual (sentido) en un mensaje que se transmite a través de un canal a un destinatario que descodifica el sentido apoyándose también en el contexto.

Los mensajes son como flechas: salen de la ballesta, atraviesan el aire y su lanzamiento es certero cuando alcanzan, cuando percuten en la diana. Lo mismo ocurre en los actos comunicativos.

Se considera que una comunicación es exitosa cuando el destinatario logra descifrar el sentido, es decir, la totalidad de los contenidos que intentaba transmitirle el emisor.

Por el contrario, una comunicación fracasa (total o parcialmente) cuando el destinatario no logra descifrar el sentido completo que el emisor desea transmitirle.

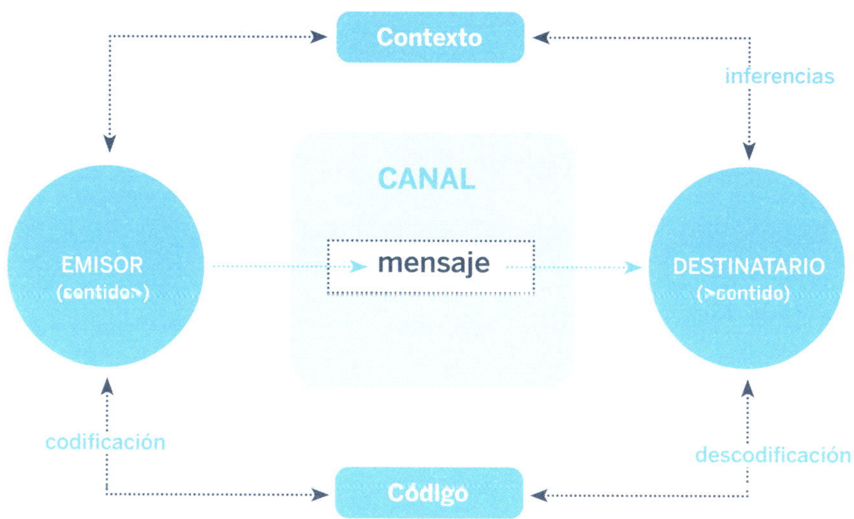

Causas del fracaso comunicativo

Las causas de fracaso comunicativo pueden tener diferentes puntos de origen:

EMISOR. Carece de un buen conocimiento del código (pronunciación, léxico, gramática...), tiene discapacidades cognitivas (dislexia, discalculia, disgrafia...), articula discursos opacos o no adecuados al nivel del destinatario...

RECEPTOR. No domina el código o carece de la competencia necesaria para descifrar textos de especialidad. Tal vez tiene discapacidades visuales, auditivas, cognitivas (se observa en ironías, dobles sentidos, sentidos figurados...) o carece de un conocimiento del contexto (histórico, literario...). O quizás se halla inmerso en una brecha social, cultural, tecnológica o cognitiva.

EMISOR Y RECEPTOR. Entre ellos media una asimetría social o cultural incapacitante. Es probable que la relación no se rija por los principios de cooperación y de cortesía.

CANAL. Presenta dificultades (ruidos, interferencias, interrupciones). En la comunicación electrónica el desconocimiento del medio crea una brecha digital.

MENSAJE. Es opaco, incomprensible, descortés, incoherente, desligado del contexto o inadecuado.

Principios comunicativos

Además de las normas gramaticales, el discurso ha de atenerse a los principios comunicativos de la tabla inferior. Su violación genera textos opacos, incoherentes, descorteses, desordenados, falsos...

Principios comunicativos				
claridad	coherencia	cortesía	orden	verdad
adecuación	conveniencia	eficacia	eficiencia	relevancia

Lenguaje claro

Derecho a comprender

Las personas tienen derecho a comprender las disposiciones legales y administrativas que regulan su vida personal y social. Este derecho, antiguo en su concepción, moderno en su reconocimiento, se genera en la justa correspondencia entre las obligaciones emanadas de la ley y las condiciones de su cumplimiento.

El derecho a comprender posee una sutil conexión con el espíritu democrático. El hecho de entender las normas convierte a un súbdito en ciudadano: «Una justicia moderna es una justicia que la ciudadanía comprende» (*Informe* de la Comisión para la Modernización del Lenguaje Jurídico). La atención a la claridad en el lenguaje de la Administración es un servicio público que favorece la relación del ciudadano con las instituciones y que fortalece la democracia.

Claridad en otros ámbitos

La defensa del lenguaje claro se gestó desde los años ochenta del siglo pasado en ámbitos jurídicos y administrativos. Sin embargo, sus principios y propuestas son aplicables a otras disciplinas con lenguaje técnico: medicina, biología, economía, ciencias naturales, informática, política e incluso lingüística y religión.

La aplicación de las recomendaciones del «lenguaje claro» a otras disciplinas y técnicas produce los mismos efectos positivos que en el lenguaje jurídico. Estas ventajas se experimentan de forma análoga en la lectura de una notificación de Tráfico o del prospecto de un medicamento, en el montaje de un mueble o en el manejo de un electrodoméstico.

En todos los casos no solo se ha de facilitar la comprensión del lenguaje, sino también disminuir la asimetría de poder que se suele presentar entre los interlocutores; por ejemplo, entre el médico, el juez, el profesor o cualquier otra autoridad y el destinatario. Si no se reduce el desnivel comunicativo, el enfermo, que acude en situación precaria, no comprenderá lo que se le dice, no retendrá lo que se le aconseja y, como consecuencia, nacerá el fracaso.

Claridad y accesibilidad

> ***Accesibilidad.** Es «la condición que deben cumplir los entornos, procesos, bienes, productos y servicios, así como los objetos o instrumentos, herramientas y dispositivos, para ser comprensibles, utilizables y practicables por todas las personas en condiciones de seguridad y comodidad y de la forma más autónoma y natural posible» (LIONDAU[1]).*

El concepto de *accesibilidad* tiene origen en un principio ético que considera a todos los seres humanos iguales en derechos y que repudia las barreras y la discriminación, cualesquiera sean los individuos afectados y cualquiera sea el ámbito de consideración. Es un principio reconocido como derecho por la Organización de las Naciones Unidas. Surgió originariamente pensado para las personas con discapacidad, pero se extendió a los colectivos afectados por la invisibilidad social y la discriminación: mujeres, inmigrantes, ancianos, personas con otras opciones religiosas, sexuales, ideológicas...

El problema de la claridad del lenguaje en determinadas ramas del saber se halla inserto en un ámbito de mayor extensión y hondura: la accesibilidad. Facilitar la comprensión de las leyes, de los documentos notariales, de los textos administrativos, de las relaciones con empresas, de los noticiarios, así como hacer transparentes los recovecos de los contratos, comprender la letra pequeña de nuestros préstamos, etc., pertenece asimismo al espacio de la accesibilidad. Quien no puede comprender una convocatoria, una sentencia, las escrituras de una vivienda, un contrato (de trabajo, de hipoteca, de alquiler...) o un prospecto médico se halla en situación de discapacidad: desconoce las rutas de su interpretación y carece de los medios de acceso a su conocimiento.

La atención a la claridad en el lenguaje de la Administración es un servicio público que favorece la relación del ciudadano con las instituciones y que fortalece la democracia.

---

[1] Ley 51/2003, de 2 de diciembre, de igualdad de oportunidades, no discriminación y accesibilidad universal de las personas con discapacidad.

Perjuicios causados por la opacidad

La opacidad en los textos jurídicos y administrativos que afectan a los ciudadanos no solo atenta directamente contra el Estado de derecho, sino que provoca efectos negativos en la sociedad y en las personas. La inoperancia generada se traduce en tiempo (retrasos), economía (aumento de gastos), incumplimiento de objetivos y problemas constantes para los ciudadanos. Una justicia que no es comprensible no solo es injusta, sino también ineficiente.

Observa este ejemplo:

> *Lo confuso de una cláusula en una convocatoria de becas provocó primero cientos de llamadas y consultas al organismo convocante, abocó a exclusiones indebidas y, posteriormente, a numerosas reclamaciones.*

Beneficios de la claridad

Beneficios para los individuos. La redacción clara:

- Tiene mayor alcance y operatividad.
- Ahorra tiempo, dinero y genera tranquilidad en el ciudadano.
- Facilita la participación de las personas en la gestión pública.
- Reduce el número de dudas, quejas y consultas.
- Limita costes y aumenta la eficiencia administrativa.
- Crea seguridad jurídica y confianza en las instituciones.
- Aporta seguridad legal y administrativa a los ciudadanos.
- Asegura mayor efectividad y equidad en el acceso a los beneficios sociales.
- Evita el recurso a mediadores legales, administrativos, técnicos...

Beneficios para las instituciones. El lenguaje claro:

- Asegura una mayor eficiencia y funcionalidad en la gestión de las instituciones, con lo que favorece el desarrollo del sistema democrático. · Aporta ahorro en economía, tiempo, personal... a la Administración.
- Evita conflictos ya sea con la Administración, con empresas o con otras personas.
- Facilita el control ciudadano de la función pública.
- Favorece la inclusión social y la igualdad de los grupos desfavorecidos.
- Promueve la confianza de las personas en las instituciones.

II

Lenguaje claro y lenguaje jurídico

El facedor de las leyes (...) debe fablar poco é bien, é non debe dar juicio dubdoso, mas llano é abierto; que todo lo que saliere de la ley, lo entiendan luego todos los que lo oyeren, é que lo sepan sin toda dubda, é sin ninguna gravedumbre.

(Alfonso X, *Fuero Juzgo*, Lib. I.
Tít. I, Ley VI)

Un lenguaje técnico

La ciencia jurídica posee su propio dialecto técnico, que está dotado de una terminología específica, propia de su ámbito.

El mantenimiento de la precisión y el respeto a la univocidad de los términos jurídicos es de enorme importancia para el buen funcionamiento del derecho y de sus aplicaciones. Así ocurre también en la descripción científica de otras disciplinas:

- Informática: *bit, mega, giga, sistema binario...*
- Hematología: *hemoglobina, leucocitos, hematocrito...*
- Artes plásticas: *perspectiva, texturas...*
- Genética: *cromosoma, cariotipo, genes...*

Sin embargo, la presencia o el abuso de esta terminología en los textos que ha de conocer el ciudadano los hace herméticos, incomprensibles. Construyen una barrera entre las disposiciones que le afectan y el derecho que le asiste a comprenderlos.

Los términos técnicos característicos que oscurecen un texto son latinismos, arcaísmos, formulismos, locuciones, nominalizaciones...

Latinismos

El lenguaje jurídico nace en el derecho romano y se desarrolla durante muchos siglos en latín. Es normal que en el desarrollo técnico y profesional hayan pervivido muchas voces y expresiones en esta lengua. Sin embargo, en la actualidad los latinismos no son comprendidos por la mayoría de la población y, en todo caso, dotan al discurso que los emplea de un carácter vetusto.

> Recomendación:
> Evitar en lo posible (o traducir) términos latinos como los siguientes: *habeas corpus, in fraganti, in pectore, in situ, in vitro, lato sensu, modus operandi, modus vivendi, motu proprio, mutatis mutandis, prima facie, pro indiviso, quid pro quo, sine qua non, statu quo, sua sponte, vacatio legis, ab intestato, a limine, ad litem...*

Arcaísmos léxicos

El lenguaje jurídico utiliza con frecuencia términos arcaicos, expresiones añejas y formulismos que no pertenecen al lenguaje común.

Son sedimentos seculares que se han venido depositando en el uso y perpetuando en la redacción de los textos, y que ya no se comprenden o resultan extraños al ciudadano medio.

Muchos de estos términos arcaicos proceden del latín: *usufructo, carta magna, causahabiente, casación, corpus, dación, dolo, fedatario, interdicción, jurisdicción, latifundio, legado*... Otros tienen origen griego: *enfiteusis, hipoteca, democracia, acracia*... Perviven algunos términos del árabe: *albacea, alevosía, alguacil, arancel*...

La concentración de arcaísmos, unida a la longitud excesiva de los párrafos, hace que el lenguaje jurídico tienda a ser pesado, farragoso, oscuro e incluso críptico.

> Recomendaciones:
>
> - Evitar términos arcaicos que hacen incomprensible un texto, como, por ejemplo, los que siguen:
>
>   *débito, debitorio, otrosí, proveído, pedimento, por esta mi sentencia, por ante mí el secretario, dignarse, empero, susodicho, infraescrito, adverar, lábil, pedimento, fehaciente, diligencia, decaer en su derecho, elevar un escrito, incoar un expediente, librar un certificado*...
> - Evitar verbos que tienen un sentido muy restringido en el lenguaje jurídico:
>
>   *asistir* («el derecho que le asiste»), *elevar* ('dirigir un documento a un cargo superior'), *decaer (en su derecho), pago* (por *paraje*), *servirse* + infinitivo («sírvase conceder»), *aludir* ('mencionar concretamente'), *antecedente (de hecho), decretar* ('resolver, deliberar, decidir'), *dirimir* ('resolver', 'zanjar'), *fundo* (por *inmueble*), *incoar (un expediente), levantar (acta), librar (un certificado), personarse* ('acudir en persona')...

Sustantivos arcaizantes

Los términos arcaicos o específicos del derecho se pueden agrupar en categorías o partes de la oración. La tradición ha creado muchos sustantivos cuyo sentido es desconocido por el ciudadano medio o que sitúan el texto en estadios anticuados.

> Recomendación:
>
> Evitar en lo posible sustantivos arcaicos, o bien introducir un sinónimo o una explicación:
>
> *abigeato, delito, usufructo, conducto* ('procedimiento'), *diligencia, subsanación, tesitura* ('situación'), *tenor (literal), vicio* ('defecto'), *beneficiario, comodato, carta magna, causahabiente, casación, corpus, dación, dilación, dolo, fedatario, interdicción, intestado, jurisconsulto, jurisdicción, latifundio, legado, mora, moratoria*, etc.

Sustantivos formados sobre expresiones

La lengua posee nombres que han sido creados a partir del uso frecuente y repetido de una palabra o de una locución. Se denominan técnicamente *sustantivos delocutivos*: *adiós* procede de la despedida *¡A Dios!*; *pordiosero* es el que dice *Por Dios; enhorabuena* es un nombre (primero interjección) formado sobre la felicitación *¡En hora buena!*

En el lenguaje del derecho y de la Administración encontramos términos delocutivos: *considerando, pagaré, exhorto, adeudo, recibo, suplico, renuncio, recibí...*

Sustantivos técnicos

En los textos científicos y técnicos que tienen como finalidad informar al gran público se ha de tener especial cuidado con los términos específicos que son de uso entre los profesionales (médicos, físicos, ingenieros, informáticos, naturalistas...). Cuando su uso sea necesario, se recomienda introducir explicaciones con el fin de facilitar la comprensión.

Derivados nominales

La nominalización es la creación de sustantivos mediante sufijos, especialmente a partir de verbos y adjetivos (*pasear* > *paseo*, *blanco* > *blancura*). Son muy comunes en el lenguaje jurídico. Existen varios tipos:

- De acción. Denotan actividad (*detención, arresto, condena, revocación, explicación, acoso,* etc.).
- De efecto. Se refieren al resultado de la acción verbal. Muchos sustantivos son de acción y de efecto. Así, *construcción* pertenece al primer grupo en *La construcción fue dirigida por Gaudí,* pero al segundo en *La construcción es sólida.*
- De agente. Denotan al individuo que realiza la acción, como en *el legislador* ('el que legisla') o *la demandante* ('la que demanda').
- De estado. Suelen aludir a sensaciones, impresiones, emociones o actitudes: *el deseo de vacaciones, el recuerdo de su padre*.

Las nominalizaciones constituyen en sí mismas un recurso que enriquece la capacidad expresiva de la lengua y, sin duda, el lenguaje jurídico se beneficia de esta posibilidad. Sin embargo, conduce a excesos.

Recomendaciones:

- Evitar la creación de sustantivos extraños a la lengua común: *la originación de normas, la deshabilitación de decisiones...*
- Evitar usos ambiguos: *la elección del presidente, la crítica del ministro...*
- Corregir secuencias cacofónicas: *la aprobación de una constitución, la conclusión de la legislación de ordenación del territorio, la convocatoria de una ley derogatoria de tal moratoria...*
- Evitar la pesadez de estilo en el uso de las preposiciones: *por infracción del ordenamiento jurídico y de la jurisprudencia por quebrantamiento de las formas esenciales del juicio por infracción de las normas que rigen los actos procesales...*
- Simplificar perífrasis innecesarias: *dicta una reclamación* (en lugar de *reclama*), *interpone recurso* (en lugar de *recurre*), *da satisfacción* (en lugar de *satisface*).

Adjetivos y derivados arcaizantes

El lenguaje técnico del derecho necesita caracterizar y clasificar muchos nombres. Por ello ha creado a lo largo del tiempo numerosos adjetivos relacionales (indican «un tipo de»). También aquí se formaron muchos derivados que perduran casi siempre con resonancias antiguas.

Recomendaciones:

1) Evitar, explicar o sustituir por expresiones más transparentes adjetivos arcaizantes, como *afecto* ('adscrito, vinculado'), *proveído, precario, fehaciente, susodicho*, *infraescrito*, *lábil*, etc.
2) Utilizar con prudencia y mesura derivados adjetivales, especialmente los de connotaciones arcaizantes, del tipo:
    - **-al**: *presuncional, testifical, judicial, competencial, eventual, jurisdiccional, legal, laboral, casacional, contractual, (sentencia) referencial, moral, patrimoniales, procesal, judicial, (titular) dominical, jurisprudencial, procesal, procedimental, doctrinal, porcentual, educacional...*
    - -**ante/-ente.** Derivan de participios de presente. Algunos se han sustantivado o poseen también usos nominales: *querellante, obrante, recurrente, concordante, deponente, presidente, competente, demandante, eximente, agente, denunciante, antecedente, solicitante, dimanante, atenuante, agravante...*
    - -**ario**: *arbitrario, dinerario, consignatario, tributario, reglamentaria, subsidiario, prestataria, adjudicatario, arrendatario, peticionario...*
    - -**ble**: *afirmable, tangible, intangible, liberalizable, imputable, suprimible...*
    - **-ivo**: *administrativo, lesivo, abusivo, punitivo, invasivo...*
    - -**or**: *actor, morador, instructor, redactor...*
    - -**orio**: *defraudatorio, estimatorio, probatorio, condenatorio, contradictorio, indemnizatorio, denegatorio, desestimatorio, indemnizatorio, monitorio, moratorio, remuneratorio, disuasorio...*
    - -**oso**: *contencioso, litigioso, (argumento) vicioso...*

Verbos y derivados verbales arcaizantes

El uso de las formas verbales arcaizantes y desusadas es muy frecuente aún en los textos jurídicos. Pervive el uso, obsoleto en otros ámbitos del lenguaje, de algunos tiempos verbales. Se constata asimismo la tendencia a crear derivados verbales que en muchas ocasiones se perciben como innecesarios.

Recomendaciones:

1) Evitar verbos que hoy son de uso casi exclusivo en el derecho, o bien explicar su significado:

   asistir, *elevar*, *decaer, servirse* + infinitivo, *adverar*, *decretar*, *dirimir*, *incoar, levantar (acta), librar, personarse*, etc.

2) Sustituir los tiempos verbales y las expresiones arcaizantes por otras formas de uso más actual y menos impersonal:

   - Tiempos arcaizantes, como el futuro del subjuntivo: *si procediere, si hubiere ocasión, quien dijere lo contrario...*
   - Imperativo en pasiva refleja sin referencia al agente: *notifíquese, reúnanse, convóquese, dispónganse, partícipese, hágase, procédase, persónese, adviértase, retírese, confírmese...*
   - Futuro de obligación: *El notificado se personará..., Se hará público...*

3) Utilizar con precaución derivados en ***-izar*** (*formalizar, teorizar, liberalizar, tangibilizar...*) o en ***-iar*** (*evidenciar, compendiar...*), especialmente cuando crean palabras largas e innecesarias: *concretizar* (*concretar*), *complementarizar* (*complementar*), *ejercitar* (*ejercer*)...

3) Evitar la frecuencia excesiva de construcciones bimembres de participio (ablativos absolutos): *conclusas las actuaciones, acordado señalar día para el fallo en la presente casación, visto y oído el caso, practicadas las pruebas, una vez recibidas las actuaciones en esta Sala y personadas ante la misma las partes, previos los trámites legales...*

Adverbios y expresiones adverbiales

Son frecuentes en los textos legales adverbios arcaicos que no se usan fuera de este tipo de discurso.

De igual forma, es habitual el recurso a los adverbios en *-mente*, formados tanto sobre adjetivos calificativos como sobre adjetivos relacionales, tanto sobre bases cortas como sobre bases largas. El uso excesivo de estas expresiones extensas y sorprendentes rompe la naturalidad que se espera de la redacción de un texto claro.

Recomendaciones:

- Evitar en la escritura adverbios arcaicos propios de la expresión jurídica: *otrosí, amén, empero...*
- Utilizar con prudencia adverbios en *-mente*, en especial cuando se forman sobre bases adjetivales largas o extrañas: *consuetudinariamente, fútilmente, excepcionalmente, debidamente, automáticamente, anualmente, concretamente, directamente, oportunamente, hipotéticamente, censurablemente, equivocadamente, correctamente, ejecutoriamente, efectivamente* (= *realmente*), *separada y reservadamente...*

Expresiones prepositivas

Los documentos judiciales y administrativos se hallan saturados de locuciones prepositivas arcaizantes y desgastadas.

Recomendación:

Evitar en lo posible recurrir a giros prepositivos arcaizantes como estos: *en aras de, en base a, en calidad de, a falta de, a instancia de parte, en virtud de, para la debida constancia, para su conocimiento y efectos, a cuyos efectos, a los efectos de, a efectos de que, al amparo de, al objeto de, con relación a, con sujeción a, conforme a, en su defecto, en tal supuesto...*

Fórmulas

El carácter repetitivo de ciertos pasajes, de formas de citar y de aludir, de iniciar y cerrar, de expresar actos de habla concretos... es causa de que a lo largo del tiempo se hayan fijado fórmulas que hoy se reproducen por comodidad o por hábito, y que se hallan fuera del uso del lenguaje cotidiano.

Recomendaciones:

Evitar o disminuir el uso de expresiones manidas para referirse a personas que intervienen en los documentos, así como para señalar actos de habla realizados por ellas:

- Fórmulas referidas a personas: *el abajo firmante, el ahora recurrente, los susodichos, ante mí el secretario...*
- Formulismos referidos a hechos: *De lo que como secretario doy fe; Lo que notifico; Por esta mi sentencia...*
- Otros tipos de locuciones: *[ante la misma] pende de resolución; del siguiente tenor; en tiempo y forma; tener por interpuesto [el recurso]; en el entendimiento de que; [lo fueron] en forma y plazo; en todo caso; por medio de otrosí [interesaba que]; conforme a derecho; por esta nuestra sentencia; lo pronunciamos, mandamos y firmamos; en el mismo día de su fecha; lo que, como letrado de la Administración de Justicia, certifico; debemos rechazar y rechazamos; [incurre en] incongruencia omisiva; debo absolver y absuelvo [a los demandados]...*
- Expresiones perifrásticas**:** *hacer manifestación* (por *manifestar*), *dar información* (por *informar*), *dar trámite* (por *tramitar*), *dar curso* (por *cursar*), *presentar recurso* (por *recurrir*)...
- Alargamientos léxicos innecesarios (sesquipedalismo): *basamentar (basar), concretizar (concretar), conflictividad (conflicto), influenciar (influir), inmediatividad (inmediatez), obstruccionamiento (obstrucción), temática (tema), problemática (problema), colapsación (colapso), planificar (planear), xenofobismo (xenofobia)...*

Hacia una justicia comprensible

Un deber del Estado

La claridad en las leyes y en los procesos judiciales es un derecho de los ciudadanos que se corresponde con un deber del Estado:

> *Todas las instituciones implicadas tienen la responsabilidad compartida de tomar medidas para garantizar el derecho a comprender. En definitiva, promover la claridad del lenguaje jurídico exige un alto grado de compromiso y colaboración por parte de muy diversas instituciones, al tiempo que un cambio cultural en algunas de ellas*
>
> (*Informe* de la Comisión para la Modernización del Lenguaje Jurídico).

Este deber afecta:

- A los organismos que se hallan relacionados con la justicia (Parlamento, Senado, Gobierno, Fiscalía General, colegios profesionales...), así como con su enseñanza (universidades...).
- A las instituciones relacionadas con la aplicación de la justicia: fuerzas y cuerpos de seguridad, instituciones penitenciarias, ayuntamientos.
- A todas las corporaciones que se hallan implicadas en el desarrollo de este derecho a comprender, a promover y a defender la claridad del lenguaje jurídico y administrativo.

La claridad en el lenguaje jurídico no solo es beneficiosa, sino también posible. Sin alterar la necesaria precisión de la terminología técnica (que admite explicaciones), existen muchos aspectos en que se puede y se debe mejorar. Los buenos juristas logran expresarse con claridad.

El alcance de este fin supone un largo proceso que ha de impulsar acciones simultáneas orientadas a objetivos que van desde la educación (tanto de profesionales como de ciudadanos) hasta los procesos de legislación y de producción de textos jurídicos y administrativos. Los medios de comunicación actúan como agentes de mediación en este proceso.

Formación de los profesionales del derecho

El proceso hacia una justicia comprensible se ha de iniciar en los primeros estadios de la formación de los futuros juristas. Los estudiantes que ingresan en las facultades de derecho se enfrentan con documentos legales y tratados de legislación redactados con estilo jurídico tradicional. Para exámenes, concursos y oposiciones los documentos legales han de ser memorizados hasta la repetición inconsciente. Todos estos procesos, que son necesarios para que el futuro jurista adquiera la competencia teórica requerida, adaptan y troquelan sus estructuras expresivas hasta el punto de ver natural y comprensible un estilo de expresión compleja que resulta impenetrable para el ciudadano medio.

Por otra parte, los planes de estudio de derecho carecen de asignaturas de formación lingüística y retórica. En su formación no aparecen materias como Gramática Normativa, Expresión Oral y Escrita, Retórica, Discurso... El nuevo modelo de educación superior favorecido por los organismos internacionales, junto a las materias que desarrollan el conocimiento, impulsa la formación en competencias expresivas. Son necesarias para todo tipo de estudios, pero adquieren una relevancia prioritaria para los estudiantes de derecho.

El jurista que aspira a un puesto en la Administración del Estado debería demostrar una competencia comunicativa ajustada a los parámetros de claridad, orden de ideas, presentación, exposición y cumplimiento de la norma lingüística. Las oposiciones a tales cuerpos o puestos de trabajo deberían incluir pruebas en las que el concursante demuestre estas habilidades de forma fehaciente.

Los organismos responsables del Estado velarán por que la formación comunicativa del jurista sea continua. Para ello, se deberán crear instituciones (como las escuelas de práctica jurídica) que tengan como fin asegurar la renovación formativa de los profesionales.

Estos mismos cuidados se han de aplicar en la formación de los profesionales que se dedican a otras disciplinas científicas y técnicas cuyo ejercicio laboral se halla en relación directa con los ciudadanos (médicos, informáticos, profesores, bancarios, periodistas, entrenadores, relaciones públicas, etc.). De su capacidad expresiva dependerá su éxito profesional.

Educación de la ciudadanía

En la comprensión de los textos jurídicos intervienen al menos dos factores: el legislador (emisor y administrador) y el ciudadano (receptor y destinatario). El acercamiento de las instituciones al lenguaje común se ha de corresponder con un movimiento de sentido inverso: la aproximación del pueblo a las leyes.

El derecho ha tenido que forjar una terminología especializada cuyas unidades (los términos jurídicos) aseguran la univocidad y delimitan las fronteras borrosas con que se presentan las voces del lenguaje común. Los términos científicos son precisos, evitan la vaguedad y aseguran la interpretación unívoca. El derecho, si quiere evitar las interpretaciones sesgadas, ha de atenerse al significado concreto de su terminología (definida en los diccionarios y en los tratados jurídicos) y, en el uso de términos no especializados, a las definiciones del *Diccionario de la lengua española*.

Existe una ruta convergente hacia la interpretación adecuada de los textos legislativos: la que acerca al ciudadano a las leyes a través de una formación en los rudimentos legales. La vida pública y la privada le exigen un mínimo conocimiento del lenguaje jurídico para comprender el funcionamiento de los asuntos de cada día, desde el acta de nacimiento a la de defunción, desde el contrato matrimonial hasta la gestión de una herencia.

No debería faltar en los planes de estudio una asignatura de educación para la vida en sociedad, materia en la que se enseñarían los derechos y los deberes, comportamiento cívico, el funcionamiento de la Administración de cada país y los rudimentos legales que son necesarios para la vida. Proporcionaría el conocimiento de trámites y una competencia mínima en la comprensión de nociones básicas y terminología jurídica.

Esta preocupación iniciada para el derecho es una propuesta que se lleva a cabo en medicina y en otras materias en las que los profesionales tienen una relación directa con el ciudadano (alfabetización o educación en la salud). Su aplicación correcta y continuada produce efectos positivos y seguros.

Mediación de la prensa

Los medios de comunicación (prensa escrita, radio, televisión, internet...) están llamados a realizar un papel mediador muy importante entre la Justicia y la ciudadanía. A través de sus intervenciones, describen los procesos y explican la sutil tela de araña en la que muchas veces se desarrollan. Constituyen un puente de enorme relevancia.

Es importante que los grandes medios dispongan de especialistas en comunicación y en derecho que sepan explicar, traducir y formar al pueblo llano. En correspondencia con este papel sagrado de los medios, se halla su responsabilidad para transmitir lo verdadero y hacerlo de forma clara.

La Real Academia Española

La Real Academia Española (RAE) y las academias de la Asociación de Academias de la Lengua Española (ASALE) tienen como objetivo velar por la unidad del idioma, así como por su corrección. Vienen realizando y liderando un intenso trabajo en pro de la claridad en el lenguaje de la Justicia a través de sus publicaciones normativas (diccionarios, gramáticas, ortografías, libros de estilo). La RAE participó activamente en la Comisión para la Modernización del Lenguaje Jurídico, en la organización de equipos de trabajo y en la elaboración del *Informe*. Ha intervenido asimismo en la elaboración y corrección de las normas de estilo del Tribunal Supremo, del Tribunal Constitucional y de la Fiscalía General del Estado. En estos momentos impulsa el desarrollo de la Red Panhispánica del Lenguaje Claro.

La RAE ha aportado durante estos últimos años una densa y abundante bibliografía específica sobre el lenguaje jurídico: *Libro de estilo de la Justicia* (2017), *Libro de estilo de la lengua española* (2018), el *Diccionario del español jurídico* (2016) y el *Diccionario panhispánico del español jurídico* (2022).

En su relación directa con la sociedad la RAE mantiene abierto de forma continua su Servicio de Consultas del Departamento de «Español al día», desde donde, a través de las redes sociales, se ofrecen respuestas a todas las dudas de los ciudadanos sobre la norma.

III

Nuevos horizontes en el lenguaje claro

La claridad debe inspirar el sistema de justicia como servicio público en nuestro marco constitucional. Una justicia adecuada a nuestro tiempo debe expresarse con precisión técnica y claridad. La modernización de la justicia va más allá del uso intensivo de las nuevas tecnologías o de la organización de los recursos. Una justicia moderna es una justicia que la ciudadanía comprende.

(*Informe* de la Comisión para la Modernización del Lenguaje Jurídico)

Lenguaje claro y Administración

Se denomina lenguaje administrativo la variedad de lengua que se utiliza en los textos creados por las administraciones públicas o privadas en su relación con los ciudadanos, o viceversa. Son comunicaciones escritas (salvo casos excepcionales, como los juramentos, las promesas...) dotadas generalmente de validez legal, normativa (explicitan obligaciones y derechos) o coercitiva (requerimientos, multas, convocatorias...).

El lenguaje administrativo es también una variedad de lengua técnica. Posee una tipología de textos propia, adopta una sintaxis particular y muestra singularidad en el léxico y las expresiones fijadas por el uso.

Los textos administrativos tienen una estructura fijada de antemano, y la relación entre el emisor y el receptor (en cualquiera de las direcciones) discurre por el cauce de la formalidad. Por ser la expresión de contenidos que configuran comportamientos, el lenguaje administrativo ha de ser claro en su redacción, denotativo en la manera de señalar a los agentes y a las realidades referenciadas, y preciso al describir las instrucciones.

El exceso de celo en la precisión suele conducir, al igual que en el lenguaje jurídico, a la paradoja de la incomprensión:

- Los párrafos suelen ser largos, llenos de meandros, incisos, derivaciones, alargamientos forzados... En ellos confluyen muchas oraciones subordinadas que se enlazan en una sintaxis muy compleja para formar párrafos unioracionales.
- Abundan las fórmulas estereotipadas y arcaicas, muy lejanas de la lengua de cada día.
- Se utiliza un léxico técnico (tomado del derecho, de la economía, del urbanismo, de la sanidad, de la educación...) con sentidos modelados no por el uso común, sino por la técnica administrativa.
- La sintaxis es formal, abunda en expresiones que huyen de lo personal (*el que suscribe, el abajo firmante...*), en gerundios y en oraciones subordinadas
- El estilo acude a la llamada retórica administrativa, fría, lejana e impositiva.

Administración y ciudadanía

La comunicación administrativa se configura a partir de una relación asimétrica. De un lado, la Administración, que ostenta la autoridad y habla desde el poder. Del otro, la parte débil y vulnerable, el ciudadano, generalmente desconocedor de la maquinaria administrativa, pero amparado por los derechos.

Claridad y cortesía

La Administración se comunica con el ciudadano normalmente a través de textos escritos. En ellos, todas las dimensiones comunicativas son importantes. Ante una notificación de Hacienda podemos sufrir por:

- La finalidad. ¿Será una sanción, una devolución, una revisión?
- Una actitud impositiva, coercitiva, a veces amenazante.
- Su exposición oscura y razonamiento hermético.
- El sentimiento de inseguridad e impotencia.

La Administración deberá cuidar el lenguaje de citaciones y notificaciones, con el fin de evitar las connotaciones intimidantes que a veces se derivan de sus términos. Deberán ofrecer una información cuidadosa de motivos y fines, acompañada, cuando sea necesario, de una explicación de los términos utilizados, así como de los procesos y actuaciones referidos en el escrito.

Por ser el cauce de contenidos que configuran comportamientos, el lenguaje administrativo ha de ser claro en su redacción, denotativo en la manera de señalar a los agentes y a las realidades referenciadas, y preciso al describir las instrucciones. Asimismo, debería estar dotado de una cortesía que desactive miedos y promueva la confianza del ciudadano en la Administración.

En los textos, formularios que se han de rellenar y procesos que se han de cumplimentar por vía informática, el ciudadano común se encuentra normalmente con barreras insalvables, enemigas de la claridad. Es obligación de la Administración idear procesos sencillos, claros, comprensibles y fáciles de aplicar.

Textos administrativos

Los discursos administrativos configuran una tipología textual que se ordena según diferentes criterios (origen, finalidad...):

1) Textos emitidos por la Administración: ministerios, comunidades, consejerías, diputaciones, municipios, centros de enseñanza, etc.
   - *Informativos*: informe, circular, saluda, carta, correo electrónico, comunicado, folletos, carteleras, invitación, anuncio...
   - *Resolutivos*: convocatoria o citación, notificación, resolución, requerimiento, emplazamiento, recurso, mandamiento, edicto, ordenanza, convocatoria, disposición...
   - *Fedatarios*: acta, memoria, certificación, diligencia...
   - *Técnicos*: planes, programas, anteproyectos, proyectos...
2) Textos emitidos por el ciudadano: solicitud, petición, denuncia, declaración, declaración jurada, demanda, renuncia, recurso... Los considerados más difíciles son el recurso contencioso-administrativo, la declaración jurada, la demanda, la alegación y la denuncia.

Características

Los textos administrativos muestran una estructura interna bien delimitada. Por ejemplo, una solicitud consta de las siguientes partes: 1) *Identificación del emisor* (nombre...); 2) *Exposición* o «EXPONE»; 3) *Solicitud* o «SOLICITA», y 4) *Cierre*.

Los textos de la Administración son formales, objetivos. Aunque se dirigen directamente a los ciudadanos, utilizan tecnicismos, formulismos, siglas, lenguaje rígido... Su afán de precisión se traduce en opacidad. Muchos de sus rasgos específicos coinciden con los del lenguaje jurídico.

Dada su estructura repetitiva, estos documentos permiten ser proyectados en formularios, que son prácticos, pero, a veces, difíciles de comprender y de rellenar a causa de la vaguedad e indeterminación de sus instrucciones.

Lenguaje claro y empresa

La comunicación entre las grandes empresas (bancos, energéticas, constructoras...) y el ciudadano estaba marcada por una relación asimétrica. En el centro del poder se hallaban los inversores, mientras que la influencia del usuario era marginal. Esta desigualdad se reflejaba en las comunicaciones con los clientes. Siguiendo una inercia secular, los escritos dirigidos a ellos adoptaban un estilo técnico-administrativo, frío, críptico, opaco. Los contratos ocultaban riesgos y escondían asechanzas en la llamada letra pequeña. Las facturas de la luz, del gas, de internet... eran ininteligibles y en las decisiones empresariales nada contaban los afectados.

La situación de poder y de toma de decisiones no se ha modificado, pero se advierten cambios en la comunicación. Sus mensajes publicitarios se han modernizado y la comunicación con el cliente (a veces obligada por ley) está cambiando de paradigma. Se adoptan los principios del lenguaje claro:

- El cliente de a pie pasa a ocupar peso en el centro de gravedad.
- Se busca transparencia en los procesos (las cuentas, las informaciones...).
- Se reconoce el derecho del ciudadano a comprender.
- Se comprende que el buen negocio se basa en la confianza y que el lenguaje claro sienta las bases de una economía moderna.
- Se comprueba que situar al destinatario en el centro de la empresa es rentable y se traduce en salud financiera.
- Para facilitar la comunicación con los destinatarios se crean gabinetes de prensa y se establecen relaciones con agencias de publicidad.
- Se informa de los riesgos a quienes firman contratos con las empresas y se eliminan las llamadas cláusulas de letra pequeña.

Sin embargo, el proceso de digitalización y las continuas reducciones de personal y de oficinas están creando una nueva desconexión entre el ciudadano y las grandes empresas. Es otra de las manifestaciones de la brecha digital, que pone en gran peligro la comunicación en muchos ámbitos de las relaciones comerciales.

Lenguaje claro y medicina

Tradición

El ejercicio de la medicina es uno de los ámbitos tradicionales en los que se registra una sima de incomprensión entre los profesionales y las personas asistidas. Fueron objeto del sarcasmo popular y de la crítica de escritores. Contra ellos arremetió Molière en cinco de sus comedias:

> *Vuestra sabiduría es tan solo pura quimera,*
> *médicos doctos y ligeros;*
> *no os es dado curar con grandes latinajos*
> *el terrible dolor que me enloquece.*

(Molière, *El enfermo imaginario*)

Brecha comunicativa

La comunicación médica discurre en dos niveles: a) entre profesionales de la medicina y b) entre médico y paciente. Es en este último escenario donde se producen los problemas de comunicación. Muchos enfermos acuden a la consulta aturdidos por la enfermedad y por la autoridad de la persona que diagnostica y decide sobre su salud. En la mayoría de los casos, entre médico y paciente se genera una brecha comunicativa producida por:

- el desequilibrio jerárquico y cultural
- la situación de vulnerabilidad del enfermo
- el léxico médico (muy técnico, específico, extraño y numeroso)
- la incapacidad de comprender los análisis, los tratamientos...

Reconocimiento legal

Las leyes de salud pública reconocen que los pacientes tienen derecho a recibir información clara, suficiente y adecuada a su capacidad de comprensión sobre su estado de salud, sobre los estudios y tratamientos que haya que realizarles así como sobre su previsible evolución, riesgos, complicaciones o secuelas.

Beneficios del lenguaje claro en medicina

El uso del lenguaje claro, afable, cercano, humano... ejerce notables beneficios en la relación entre el médico y el enfermo (y su entorno):

- El paciente comprende mejor la patología que le afecta.
- Se rompe el nudo comunicativo y se crea confianza; el enfermo entiende la descripción de sus síntomas, que pueden ser capitales en el diagnóstico, y se anima a preguntar.
- El paciente entiende mejor las instrucciones y toma decisiones más informadas y adecuadas.
- Disminuyen los errores en la ingesta de fármacos, lo que influye en la economía y en la salud.
- Desciende el índice de abandono de los tratamientos, un grave problema asistencial y económico.

Alfabetización en salud

Paralelo al esfuerzo de los profesionales sanitarios por generar confianza y utilizar un lenguaje claro, se reclama el derecho de los ciudadanos a recibir una formación sobre los estilos saludables de vida y de alimentación, sobre el conocimiento de síntomas y enfermedades, sobre tratamientos, sobre el cuidado de enfermos cercanos...

La alfabetización en salud (AS) es «el grado con el que los individuos pueden entender, aplicar y utilizar la información brindada por el personal de salud para tomar decisiones respecto al cuidado de sus enfermedades y promoción de su salud, con el objetivo de mejorar su calidad de vida».

El esfuerzo de formación y de información en esta alfabetización en salud debería iniciarse en los años escolares y ser continuada a lo largo de toda la vida por la acción de los Gobiernos, las academias de medicina, los colegios médicos, así como por programas, reportajes, vídeos... en los medios de comunicación. En la actualidad son numerosos los canales a través de los que el ciudadano puede informarse de cuestiones relativas a su salud.

Lenguaje claro y lingüística

Las disciplinas lingüísticas y filológicas han forjado también una terminología técnica destinada a conseguir mayor precisión. Algunas voces son nuevas y extrañas para el ciudadano: *paradigma*, *decurso*, *étimo*, *crasis*, *prefijo*, *sufijo*, *apócope*, *paragoge*, *enclisis*, *lexema*, *morfema*, etc.

Otras voces del lenguaje común son redefinidas por la lingüística con nuevos valores: *lengua, habla, sistema, norma, concordancia, atributo*... En la comunicación ordinaria crean no solo mensajes extraños, sino también ineficaces, como se observa en el relato de Mario Benedetti.

> *Tras la cerrada ovación que puso término a la sesión plenaria del Congreso Internacional de Lingüística y Afines, la hermosa taquígrafa recogió sus lápices y papeles y se dirigió hacia la salida abriéndose paso entre un centenar de lingüistas, filólogos, semiólogos, críticos estructuralistas y desconstruccionistas, todos los cuales siguieron su garboso desplazamiento con una admiración rayana en la glosemática.*
>
> *De pronto, las diversas acuñaciones cerebrales adquirieron vigencia fónica:*
>
> *¡Qué sintagma!*
> *¡Qué polisemia!*
> *¡Qué significante!*
> *¡Qué diacronía!*
> *¡Qué* exemplar cetororum*!*
> *¡Qué* Zungenspitze*!*
> *¡Qué morfema!*
>
> *La hermosa taquígrafa desfiló impertérrita y adusta entre aquella selva de fonemas.*
>
> *Solo se la vio sonreír, halagada y tal vez vulnerable, cuando el joven ordenanza, antes de abrirle la puerta, murmuró casi en su oído: «Cosita linda».*

(M. Benedetti, *Cuentos completos*)

Lenguaje claro y discurso religioso

La Iglesia mantuvo durante siglos el latín en todos sus oficios, lo que representaba una barrera comunicativa infranqueable para los feligreses del pueblo llano. Algunas expresiones tradicionales se referían críticamente al oscurantismo del lenguaje litúrgico en lengua latina.

El Vaticano II representó un cambio sustancial al promover el uso de las lenguas autóctonas como el mejor camino para encauzar la participación comprensible de la persona en los oficios religiosos. Sin embargo, tanto en los ritos como en las alocuciones (sermones, homilías, circulares...) se ha impuesto una comunicación opaca que, bien por desarrollarse en un lenguaje antiguo o teológico, bien por la terminología, bien por los razonamientos, bien por el estilo, deja impasible al creyente y no atrae al agnóstico que asiste a algunos oficios (bodas, funerales, bautizos, primeras comuniones...).

Contrastan estas formas de dirigirse al pueblo en escritos y alocuciones con la claridad exhibida en las parábolas evangélicas o en los versos de Berceo. El pueblo llano comprende mejor los misterios religiosos, los acontecimientos adversos y la explicación de vicios y virtudes a través de ejemplos de la vida cotidiana, de la naturaleza o de la creación (literatura, cine...). Las explicaciones teológicas y las citas doctrinales suelen ser opacas. Producen un bloqueo que es enemigo del lenguaje claro.

Es difícil que el feligrés llano, alejado de términos y razonamientos teológicos, pueda asignar interpretación referencial a muchas de las expresiones que escucha. Véase este ejemplo real y no muy recargado:

> *Habéis muerto, hemos escuchado en la segunda lectura, y vuestra vida está con Cristo escondida en Dios. ¿Cómo celebraremos de verdad la Pascua y cómo seremos testigos de la Resurrección del Señor? La respuesta la da el Apóstol: «Celebremos la Pascua no con levadura vieja (levadura de corrupción y de maldad), sino con los panes ácimos de la sinceridad y de la verdad» (1 Cor 5, 8). El mejor modo de celebrar la Pascua de Jesús, su triunfo sobre la muerte es viviendo una vida sincera y auténticamente cristiana. Amén.*

Lenguaje claro y discurso político

En la comunicación administrativa, económica, política, educativa se ha creado un lenguaje retórico brillante en la forma por el uso de eufemismos y palabras acariciadoras, pero opaco, hueco y carente de contenido referencial. Ha recibido diferentes nombres: «lenguaje vacuo», «neolenguaje» (Orwell), «lengua de madera», «lengua de cemento»... Se utiliza en discursos, debates, artículos de opinión... Es argumentativo, ultraprocesado y oculta la realidad, pues enmascarara los hechos. Es enemigo de la claridad lingüística.

Características

RASGOS SEMÁNTICOS:

- Utiliza expresiones genéricas, indeterminadas, de límites vagos. Secuencias como *programación transversal integrada*, *proyección opcional sistemática* suenan bien, pero la mente es incapaz de identificar lo referido.
- Multiplica los nombres abstractos y derivados verbales de difícil concreción.
- Acude a eufemismos para eludir lo negativo (al fracaso se le denomina *oportunidad, experiencia prometedora, opción a nuevos retos*...).
- Emplea neologismos técnicos y extranjerismos de moda.

RASGOS PRAGMÁTICOS:

- Se utiliza en discursos argumentativos.
- Fortalece e incluso radicaliza la opinión de los seguidores.
- Busca instalar la incertidumbre y el pesimismo en los contrarios.
- Aduce falacias de difícil refutación y sofismas interpretativos.
- Abunda en insinuaciones, verdades a medias, razonamientos abreviados e intuitivos (entimemas) que abocan a conclusiones e interpretaciones torticeras. El emisor trasluce una seguridad artificial. A la vez, se muestra dogmático y su boca enuncia todas las amenazas imaginables si no se satisfacen sus propuestas.
- Evita nombrar al adversario.

Lenguaje político y referencialidad

Un rasgo típico de la lengua de madera son los mensajes sin referente. Combinando aleatoriamente una palabra de cada columna de los siguientes gráficos (de P. Broughton, de García-Caeiro y otros), se crean expresiones eufónicas, pero mensajes vacíos: *dinámica operacional holística; Queridos colegas (I): la complejidad de los estudios dirigentes (II) cumple un rol esencial en la formación (III) del sistema de participación general (IV)...*

0	*Programación*	*funcional*	*sistemática*
1	*Estrategia*	*operacional*	*integrada*
2	*Metodología*	*estructural*	*equilibrada*
3	*Planificación*	*comunicacional*	*digitalizada*
4	*Dinámica*	*global*	*coordinada*
5	*Propuesta*	*direccional*	*escalonada*
6	*Implementación*	*opcional*	*persuasiva*
7	*Reingeniería*	*institucional*	*estabilizada*
8	*Proyección*	*multidimensional*	*paralela*
9	*Prospectiva*	*transversal*	*holística*

I	II	III	IV
Queridos colegas:	*la realización de los deberes del programa*	*nos obliga al análisis*	*de las condiciones financieras y administrativas existentes.*
Por otra parte,	*la complejidad de los estudios dirigentes*	*cumple un rol esencial en la formación*	*de las directrices de desarrollo para el futuro.*
Asimismo,	*el constante aumento de cantidad y extensión de nuestra actividad*	*exige la precisión y la determinación*	*del sistema de participación general.*
A pesar de todo, no olvidemos que	*la estructura actual de la organización*	*ayuda a la preparación y a la realización*	*de las actitudes de los miembros de las organizaciones hacia sus deberes.*
De la misma manera,	*el nuevo modelo de actividad de la organización*	*garantiza la participación de un grupo importante en la formación*	*de las nuevas proposiciones.*

Lenguaje claro e informática

La informática es la dimensión tecnológica que mayor influencia está ejerciendo en el mundo moderno. El meteórico desarrollo del universo de la computación ha representado un cambio profundo en todos los ámbitos de la sociedad. Ha nacido un nuevo periodo histórico: la era digital. En esta guía la estudiaremos desde dos perspectivas:

- En su relación con el lenguaje claro.
- En su repercusión comunicativa, como la brecha digital.

La aparición de Internet y luego de las redes sociales tiene una repercusión global que afecta a todas las dimensiones de la vida y está en la base de la globalización. La claridad lingüística se ve afectada tanto por las escuetas formas de discurso (correos electrónicos, SMS, guasaps...) como por la invasión de extranjerismos. Ingresan en nuestra lengua muchos anglicismos (*software*...), siglas (*WWW*, *CPU*, *PC*), acortamientos (*app*, *chat*, *nick*, *bot*...), prefijos (*tera-*, *ciber-*...).

El temor a que la invasión de tecnicismos informáticos ponga en peligro la claridad del lenguaje se ha reflejado en textos apocalípticos:

> *Cuando llego por la mañana enciendo el* mac *y hago un* checking *del* e-mail, *hago algunos* forwards *y envío* attachements *de* excel; *a los 30 minutos siempre aparece el* assistant, *que me suele encargar un* chart *sobre las* allocations *del día anterior. Le doy un* resulting *lo más exacto posible y a veces incluso una relación de* pay outs. *A eso de las 10 de la mañana ya estoy* down; anyway, *hago un* break *y me levanto a la máquina de café. Allí casi siempre coincido con el* sales manager. *Hablamos de lo que sea y vuelvo a mi puesto...*

(Luis Meyer)

En realidad, la integración de términos informáticos ha sido ejemplar, como se puede observar: *ratón, ventana, colgar, bajar, copiar, acceso directo, dirección acortada, dirección web, enlace, hipervínculo, vínculo...*

La brecha digital

Dado el impacto que tiene en la vida del ser humano, el acceso al universo digital ha sido declarado un derecho universal por la ONU. Sin embargo, es un ámbito en constante cambio que exige una formación continuada y una renovación tecnológica importante (ordenadores, teléfonos móviles o celulares, programas...), lo que crea una sima entre los que pueden seguir el ritmo de la digitalización y quienes se quedan al margen.

Como consecuencia, el individuo de nuestro tiempo ha de disponer de medios para incorporarse al proceso de digitalización y estar al día. Esto exige la adquisición de soportes, cuya tecnología se renueva de forma constante, y el acceso al conocimiento de sistemas que también evolucionan con los años. Se estima que casi el 40 % de la población mundial no tiene acceso a internet.

La brecha digital se define como «la desigualdad que hay entre diversos grupos de población en cuanto al acceso, uso e impacto de las nuevas tecnologías de la información y comunicación (TIC)».

Causas

- Situación económica. Los ingresos permiten o no financiar soportes y programas digitales, mantenimiento, conexiones, suscripciones...
- Formación. Los programas, redes, servicios... se renuevan día a día.
- Edad. Las nuevas tecnologías exigen un esfuerzo mucho mayor a las personas de la tercera edad.
- Situación geográfica. La cobertura implica una segregación más entre el campo y la ciudad, entre países desarrollados y países en desarrollo.
- Género. El acceso de la mujer a las TIC ha sido más lento.
- Inmigración. La inmigración posee menos oportunidades.
- Personas con discapacidad. Las personas con discapacidad sufren aislamiento, desfase y mayor aumento de la brecha digital.
- Creciente complejidad de los sistemas informáticos y constante actualización de programas, redes... Es una evolución que exige a los usuarios una renovación tecnológica y formativa difícil de seguir.

Consecuencias

Las sucesivas crisis económicas, bélicas y energéticas influyen decisivamente en el empobrecimiento, lo que dificulta la renovación tecnológica de la ciudadanía. A su vez, este desfase repercute en el acceso al trabajo y a su remuneración. En Europa más del 80 % de los empleos exigen un buen desempeño en las TIC. Es un bucle difícil de detener.

Futuro

A la velocidad con que se suceden las innovaciones se añaden en estos momentos las incertidumbres de la inteligencia artificial (IA), que ya está dirigiendo nuestras vidas. Solo una política de constante actuación, formación, apoyo a los desfavorecidos e inversión podrá evitar que las dimensiones de la brecha digital aumenten.

Estrategias para reducir la brecha digital

Dada la gravedad de las consecuencias, los poderes públicos, las empresas tecnológicas, las instituciones educativas, las fundaciones con proyección social... han de embarcarse en sistemas de formación «para todos», en campañas de acción que promuevan:

- La creación de programas específicos de formación, de seguimiento y de actualización en las TIC. Se ha de poner mayor atención en las mujeres, los inmigrantes, los trabajadores de bajo nivel, los mayores, los colectivos vulnerables...
- La dotación de ayudas para la renovación digital de las pymes.
- El uso de programas informáticos de código abierto y la formación para su manejo.
- El robustecimiento de las estructuras existentes y la creación de las necesarias para evitar el apagón digital en zonas alejadas de los núcleos urbanos.
- Fuerte implicación administrativa en la simplificación de los programas informáticos que permiten relacionarse al ciudadano con los diferentes organismos de la Administración, las empresas, la seguridad social, agencias de viajes, periódicos e incluso el manejo de los electrodomésticos.

IV

Claridad lingüística

Yo me declaro del linaje de esos
que de lo oscuro hacia lo claro aspiran.

(Goethe)

IV.1

Morfología

Yo tengo por principal virtud la claridad, la propiedad de las palabras, el buen orden, el ser medido en las cláusulas y, por último, que no sobre ni falte nada.

(Quintiliano, *Instituciones oratorias*, 8, 2, 22)

Prefijos

En el estilo jurídico se abusa del uso de prefijos en la formación de vocablos. Su empleo aislado no causa extrañeza, pero su proliferación crea textos pesados. Por otra parte, son utilizados en la creación de términos especializados que se alejan del lenguaje del hablante medio.

Recomendación:

Evitar el exceso en el empleo de palabras formadas con prefijos, pues las alargan y su multiplicación confiere al discurso un estilo frío y rígido.

- **ante-**: *antedicho, antedeclarante, antefirma...*
- **anti-**: *antijurídico, anticonstitucional, antirreglamentario, antirrenovador...*
- **auto-**: *autoliquidaciones, autocontrato, autocracia, autodeterminación, autolesión, autopromoción, autotutela...*
- **contra-**: *contraprestación, contraparte, contrapropuesta, contramedida, contraquerella...*
- **des-**: *desamortización, desestimación, desestabilización, desacuerdo, despoblamiento, desasistimiento, desamparo, desconvocatoria, deslegalización...*
- **extra-**: *extrafiscales, extrajudicial, extracontractual...*
- **in-**: *incomparecencia, inacertado, inconcreción, indemnidad, irrazonabilidad, irrazonada* o *irrazonable, inexistente, inexcusable, incumplimiento, ilícito, incompetente* ('sin competencias'), *interpuesto, inadmitir, inadmisibilidad, inconstitucionalidad, indefensión, inconsentida, incumplidor...*
- **pre-**: *precitado, prejuzgar, precontrato, predicción, prerrogativa...*
- **re-**: *reordenación, readmisión, realojo, recargo, reconvención, reextradición, rehabilitación, reinserción, reincidente...*
- **retro-:** *retroefectividad, retrospección, retrocesión, retroconexión...*

Derivados y expresiones largas

El lenguaje jurídico crea muchos derivados que, además de largos, en la mayoría de los casos son innecesarios, pues la lengua dispone de términos más simples para expresar el mismo significado. Es común la tendencia a formar sin necesidad palabras y expresiones extensas para las que la lengua dispone de voces más simples (fenómeno denominado *sesquipedalismo*).

Recomendaciones:

- Evitar, siempre que sea posible, el uso de derivados largos como los que se enumeran. Si es posible, se prefiere el elemento más simple:

  recepcionar (recibir), basamentar (basar), complementar (completar), circularizar (circular), concretizar (concretar), conflictividad (conflicto), influenciar (influir), inmediatividad (inmediatez), obstruccionamiento (obstrucción), temática (tema), problemática (problema), climatología (clima), colapsación (colapso), planificar (planear), xenofobismo (xenofobia)...
- Evitar perífrasis comunes que remiten a ideas más simples: *hacer manifestación* (por *manifestar*), *dar información* (por *informar*), *dar trámite* (por *tramitar*), *dar curso* (por *cursar*), *presentar recurso* (por *recurrir*)...
- Evitar el abuso de adjetivos encadenados: *cláusulas jurídicas generales*, *obstrucción legal arbitraria y burocrática entorpecedora*; *recursos administrativos, financieros, fiscales y laborales.*
- Evitar expresiones redundantes formadas por dos términos que incluyen total o parcialmente la misma información: *idénticamente iguales, idiosincrasia propia, divisas extranjeras, prever con antelación.*

Gerundios

El gerundio es una forma verbal de múltiples usos y de gran utilidad en la comunicación, especialmente en textos escritos. Además de expresar simultaneidad en el tiempo, asume con frecuencia valores circunstanciales (modo, tiempo, causa, condición, concesión, etc.). En el lenguaje jurídico se detectan empleos correctos junto a otros que no lo son o son evitables. Connotan un estilo arcaizante, alejado de la lengua estándar.

Gerundios correctos

1) El gerundio de simultaneidad denota generalmente una acción concurrente en el tiempo con la del verbo principal. Cuando depende del verbo, expresa con frecuencia **modo**, responde a la pregunta ***¿cómo?*** y admite la sustitución por el adverbio ***así***:

    - *Se solicita rellenando este impreso;*
    - *Terminó confesándose culpable;*
    - *Seguía pidiendo la palabra.*

    No debe separarse mediante comas del verbo principal.

2) El gerundio perifrástico («*estar* + gerundio», «*ir* + gerundio»...) expresa el desarrollo de un proceso o una acción, con distintos matices: *Está redactando el acta; La deuda iba creciendo poco a poco; Llevaba opositando varios años.*

3) El gerundio de ubicación indica situación u orientación en el espacio: *El juzgado está girando a la derecha; Hay un cajero bajando a mano izquierda.*

4) El gerundio absoluto va entre pausas, generalmente en el inicio de la oración, y expresa:

    Anterioridad: *Habiendo dicho esto, salió de la sala.*

    Condición: *Hablando más alto, se le oiría mejor.*

    Concesión: *Aun esforzándose mucho, no lo conseguirán.*

    Tematización: *Cambiando de asunto, ¿podría usted describir la escena?*

Gerundios incorrectos o evitables

Gerundio de posteridad

El gerundio solo puede expresar una acción posterior a la que indica el verbo principal cuando las acciones, aunque sucesivas, están muy próximas en el tiempo (*Salió dando un portazo*) o cuando puede inferirse una relación lógica (normalmente causa-efecto) entre lo denotado por la oración principal y la construcción de gerundio (*Le atendieron rápidamente, salvándole así la vida*).

> Recomendación:
> Evitar el uso de gerundio cuando no existe inmediatez temporal y cuando no se puede establecer con claridad un vínculo semántico lógico con el verbo conjugado: *Se denunció la desaparición del joven, siendo hallado dos semanas después*. Es preferible sustituirlo por una oración coordinada o independiente.

Gerundio especificativo

En español, a diferencia de otras lenguas, el gerundio no se utiliza como adjetivo especificativo. Sin embargo, aparece con frecuencia en textos jurídicos: *Se dictó un decreto prohibiendo las reuniones clandestinas.*

> Recomendaciones:
> - Evitar el uso de gerundios como complementos especificativos de un nombre.
> - Sustituirlo por una oración de relativo: *un decreto que prohíbe las reuniones clandestinas.*

Gerundio de enlace

El gerundio suele utilizarse en el lenguaje jurídico en acciones que se unen a un verbo sin significar modo (no responden a la pregunta *¿cómo?*) ni presentar otro valor semántico claro (causa, tiempo, condición, etc.): *Anunció el nacimiento de su hijo, proclamándolo príncipe de Asturias* (**¿Cómo?*).

Preposiciones

El uso adecuado de las preposiciones presenta dificultades tanto en el lenguaje oral como en el escrito. Estos problemas se acentúan en el discurso jurídico, a causa de la gran cantidad de complementos que se adjuntan a nombres, adjetivos y verbos.

Existe, pues, una dificultad en la elección de la preposición adecuada. Hay ocasiones en las que el desvío se debe a la influencia de lenguas cercanas. Otro problema relativamente frecuente es la supresión innecesaria de la preposición.

Expresiones galicadas

Expresiones como *temas a tratar* o *avión a reacción* son expresiones formadas sobre un modelo del francés. En algunos casos, son estructuras asimiladas por la lengua, mientras que en otros provocan reservas.

- Estas construcciones resultan más breves que las tradicionales españolas: *problemas a resolver / problemas que hay que resolver.*
- Son frecuentes en el lenguaje administrativo, económico (*cantidad a ingresar*) y periodístico (*ejemplo a seguir*).

Son naturales con algunos sustantivos (*asunto, tema, ejemplo, cuestión, punto, problema...*) y ante determinados verbos (*realizar, ejecutar, tratar, comentar, dilucidar, resolver, tener en cuenta...*

Recomendaciones:

- No utilizar profusamente estas construcciones.
- Evitarlas cuando el verbo no sea transitivo: **El asunto a conversar...*
- Evitarlas en construcciones pasivas: **El tema a ser tratado...*
- Si es posible, sustituirlas por expresiones con *para*, *por* o el relativo *que*: *No hay más asuntos a discutir* (mejor: *No hay más asuntos que/por/para discutir*).
- Sustituirlas por adjetivos: *recursos a utilizar* (mejor: *recursos utilizables*).

Preposiciones repetidas

En los textos jurídicos se halla frecuentemente la secuencia de varios complementos de diferente naturaleza introducidos por la misma preposición. Es un defecto que afecta a la claridad y al estilo.

> Recomendación:
> Evitar la repetición de preposiciones ante complementos de diferente naturaleza que aparecen seguidos: *solidaridad* **con** *trabajadores* **con** *problemas* **con** *sus compañeros, vigilancia* **de** *la ejecución* **de** *los acuerdos* **de***l Consejo, personas* **en** *observación* **en** *directo* **en** *su propio entorno*.

Errores con preposiciones

- *De conformidad a* [de conformidad con] *lo dispuesto en el art. 715 de la LEC.*
- *Con el apercibimiento que* [con el apercibimiento de que] *caso de no comparecer le parará el perjuicio que hubiere lugar* [a que hubiere lugar] en derecho.

Preposición y artículo

- *...a través del cumplimiento de los objetivos relativos a cantidad de trabajo, calidad de trabajo, utilización racional de los recursos, gestión del activo y trato con los pacientes*.

  → Mejor: *... a través del cumplimiento de los objetivos relativos a la cantidad y calidad de trabajo, a la utilización racional de los recursos, a la gestión del activo, así como al trato con los pacientes*.

Expresiones prepositivas

Utilizar con moderación expresiones prepositivas excesivamente comunes en el lenguaje administrativo: *en aras de, en base a, en calidad de, a instancia de parte, en virtud de, para la debida constancia, para su conocimiento y efectos, a cuyos efectos, a los efectos de, al amparo de, al objeto de, con sujeción a, conforme a, en tal supuesto*...

Género

Género gramatical / género social y sexo

La voz *género* tiene en la actualidad dos sentidos relacionados con dos ámbitos diferentes:

GÉNERO GRAMATICAL. Categoría morfológica inherente en los sustantivos y algunos pronombres que los clasifica en masculinos y femeninos, y que se proyecta en su concordancia con adjetivos y determinantes: *estos días oscuros*; *Nosotras trabajamos juntas*.

GÉNERO SOCIAL. Categoría a la que se adscriben las personas según los rasgos socioculturales asociados a cada sexo.

Género en sustantivos sexuados y no sexuados

EL GÉNERO EN SUSTANTIVOS CON REFERENTE SEXUADO		
Heterónimos	Palabras distintas para cada género	*hombre/mujer*
Nombres de desinencia variable	Tienen la misma raíz, pero una desinencia para cada género	*niño/niña, tío/tía*
Nombres de desinencia común	El género no se manifiesta en la terminación, sino en la concordancia	*el/la testigo, el/la centinela*
Epicenos	Sustantivos masculinos o femeninos que se refieren a seres tanto de un sexo como del otro	*pulpo, avispa, avutarda, caimán, calandria...; víctima, testigo, rehén...*

EL GÉNERO EN SUSTANTIVOS CON REFERENTE NO SEXUADO		
De género único	Masculinos o femeninos	*libro, mano, día, cielo*
De dos géneros (ambiguos)	Son a la vez masculinos y femeninos	*el mar / la mar*

Femeninos de profesión

En el ámbito de las profesiones, muchos sustantivos solo poseían género masculino (*herrero, piloto, gobernador, astronauta*...), algunos tenían variación (*maestro/maestra*) y muy pocos solo eran femeninos (*azafata*). Sin embargo, el sistema de la lengua dispone de dos valores gramaticales para diferenciar el género de los nombres (masculino y femenino). Las diferencias de género se manifiestan de dos formas:

- Por la concordancia, en los sustantivos con desinencia común para el masculino y el femenino: *el pianista / la pianista*, *el cantante / la cantante*...
- Por la oposición de desinencias: *doctor/doctora, actor/actriz*...

Con el paso del tiempo, muchas profesiones realizadas tradicionalmente por los hombres fueron desempeñadas también por mujeres. Desde el momento en que se produce el acceso de la mujer a estas profesiones, se inicia la creación de femeninos. El proceso consta normalmente de tres pasos:

(1) Profesión de un solo sexo > (2) género común > (3) género diferenciado

		varón	mujer
Fase 1	Unisexo	*el diputado*	∅
Fase 2	Común	*el diputado*	*la diputado*
Fase 3	Diferenciado	*el diputado*	*la diputada*

En algunos casos, este proceso no ha terminado de generalizarse:

		varón	mujer
Fase 1	Unisexo	*el soldado*	∅
Fase 2	Común	*el soldado*	*la soldado*
Fase 3	Diferenciado	*el soldado*	*(la soldada)*

Resistencias a la formación de femeninos

Los femeninos de profesión coinciden a veces con el nombre del instrumento: *la batería, la freidora, la impresora*.... Sin embargo, las posibles ambigüedades no han frenado su uso como femeninos de profesión.

También se han generalizado los femeninos de profesión cuando coinciden con el nombre de la disciplina que se ejerce:

Disciplina	Profesional mujer	Profesional hombre
La música	*La música*	*El músico*
La química	*La química*	*El químico*
La física	*La física*	*El físico*
La política	*La política*	*El político*

Presentan resistencia a distinguir el género mediante desinencias:

- Los sustantivos terminados en **-a**, en ***-ista*** (*jurista, artista, pianista*...). El género en estos casos de desinencia común se diferencia con determinantes (*la jurista, una pianista*...).
- Los nombres terminados en **-e** (*orfebre*); pero existe *sastra*.
- Los acortamientos en **-o** (*seño, fisio*...); pero ya se usan *endocrina*, *otorrina*...
- Los compuestos; pero ya se registran esporádicamente *testaferra* y *portavoza.*

En algunos casos, las resistencias a la creación de femeninos son de orden social. El Ejército en algunos países es remiso a utilizar femeninos específicos de grado (*caba, sargenta, coronela*...).

Recuerda:

- La lengua permite la creación de femeninos de profesión (*jueza, magistrada, catedrática*...).
- Las resistencias a su uso no suelen ser lingüísticas, sino sociales.

Recursos para evitar el masculino genérico

Durante los últimos tiempos, asociado al movimiento que de forma justa defiende la defensa de los derechos de la mujer, se ha divulgado la idea de que el masculino genérico no es inclusivo. Aunque carece de soporte sólido, en algunos sectores ha prendido el sentimiento de que en secuencias como *los derechos del enfermo*, *sala de profesores* o *el lenguaje de los políticos* se excluye a la mujer. Para evitarlo, se proponen formas de reemplazar el masculino genérico. Persiguen activar de manera expresa el femenino. En general, tales propuestas no son agramaticales; pero, con frecuencia, son antieconómicas, en ocasiones inexactas, casi siempre innecesarias y, cuando se multiplican, van contra el lenguaje claro.

La doble mención de género

Consiste en actualizar de forma expresa las formas del masculino y del femenino. Ha sido siempre normal en los vocativos de cortesía (*señoras y señores, damas y caballeros...*) y cuando era necesario especificar: *Letrados y letradas tienen la misma cuota de participación.* También cuando se trata de trabajos ejercidos normalmente por varones: *Tanto los españoles como las españolas pueden servir en el Ejército.* Se utilizan diferentes tipos de coordinaciones: *Se convoca a los alumnos y alumnas de tercero*; *Se necesita camarero o camarera*.

Advertencias:

- Los desdoblamientos de género no son agramaticales.
- A veces, evitan alguna ambigüedad.

Sin embargo,

- son antieconómicos, innecesarios y, en ocasiones, inexactos (No es lo mismo *Lío entre hermanos* que *Lío entre hermanos y hermanas)*;
- si son repetidos en exceso, la redacción se hace pesada, especialmente cuando se extienden a los adjetivos: *Sus hijos y sus hijas son altos y altas*.

Sustitución por colectivos y epicenos

Con el fin de evitar la presencia del masculino genérico, muchas veces se recomienda sustituirlo por nombres colectivos de la misma raíz o por epicenos femeninos (*persona, criatura*...):

Los ciudadanos	→ *La ciudadanía*	*El director*	≠ *La dirección*
Los jóvenes	→ *La juventud*	*Los clientes*	≠ *La clientela*
Los profesores	→ *El profesorado*	*Los alumnos*	≠ *El alumnado*
Los hombres	→ *Las personas*	*Los policías*	≠ *La policía*

Cuando son correctas, estas sustituciones pueden ser alternativa estilística al masculino genérico; pero, con frecuencia, no son equivalentes.

Los niños	≠ *La infancia*	*Los ancianos*	≠ *La ancianidad*
Los jóvenes	≠ *La juventud*	*El abogado*	≠ *La abogacía*
El rector	≠ *El rectorado*	*El magistrado*	≠ *La magistratura*
El fiscal	≠ *La fiscalía*	*El conserje*	≠ *La conserjería*

Observaciones:

- El masculino genérico es un valor gramatical de la lengua que incluye tanto a referentes masculinos como femeninos.
- La sustitución del masculino genérico por nombres colectivos puede ser útil y estilísticamente aconsejable cuando existe equivalencia real.
- Aunque algunas sustituciones (*ciudadanía* por *ciudadanos*, *profesorado* por *profesores*, *alumnado* por *alumnos*...) son habituales en ciertos ámbitos, es necesario tener cuidado cuando hay cuantificación. Carece de sentido decir *cinco profesorados* en lugar de *cinco profesores*.
- El genérico tiene mayor alcance. No es lo mismo *Gabriela Mistral es una de nuestras mejores escritoras* que *Gabriela Mistral es uno de nuestros mejores escritores*.

Las personas trabajadoras

Otro recurso propuesto para evitar el masculino genérico en secuencias como *los trabajadores*, *los migrantes*, *los enfermos*, *los ciegos*, *los mayores*... consiste en introducir el sustantivo epiceno femenino *persona*: *las personas trabajadoras*, *las personas enfermas*, *las personas mayores*...

> Advertencias:
>
> - Su uso fuera de estos contextos resulta artificioso, extraño e injustificado (*personas juristas, personas médicas, personas carteras...*).
> - No siempre existe equivalencia en el sentido: no es lo mismo *trabajador* que *persona trabajadora*; ni *persona deportista* que *deportista.*

Recursos formales

En algunos ámbitos se usa la arroba (@) o la *x* para sustituir la doble referencia que realiza el masculino genérico: *nuestr@s amig@s*, *lxs médicxs interinxs*...

> Advertencias:
>
> - El masculino genérico (*los médicos interinos*...) no es excluyente.
> - La arroba (@) no es un signo lingüístico: no representa ningún sonido.
> - La letra *x* no representa ninguna vocal y, menos aún, dos vocales a la vez.
> - Su uso encuentra escollos en algunos determinantes: *el, la, mi, aquel*...

Niños, niñas, niñes

En los últimos años se ha propuesto una tercera desinencia (*-e, -es*) para referirse a formas de género social ajenas al binarismo (*niños, niñas, niñes*) y, a veces, con el mismo valor que el masculino genérico (*les adultes*). Este uso es ajeno al sistema gramatical y no se ha generalizado.

Artículo

Algunas publicaciones proponen evitar los artículos masculinos para eludir el uso del masculino genérico. Sin embargo, su supresión afecta a la claridad del lenguaje

> **Observación:**
> Esta supresión altera el contenido de las construcciones. No es lo mismo *La carta va dirigida a representantes sindicales* (¿a todos?) que *La carta va dirigida a los representantes sindicales* (a todos).

Artículo y relativos

Se propone sustituir las secuencias masculinas *el que*, *los que*, *el cual* y *los cuales* por los relativos *quien*, *quienes*:

— *El que* llegue antes → *Quien* llegue antes
— *Los que* lo hemos probado → *Quienes* lo hemos probado

> **Observación:**
> La propuesta
> - es innecesaria, pues el masculino genérico no excluye;
> - no es eficaz, pues el uso genérico de *quien* y *quienes* es equivalente a *el que* y *los que*: *Quien lo probó lo sabe* (= *El que lo probó lo sabe*).

Pronombres masculinos

En algunas publicaciones se propone eliminar el uso de los pronombres masculinos que pueden expresar valor genérico: *alguno, algunos, ninguno, aquel, aquellos, varios, ambos.* Seguir esta recomendación implica eliminar del uso signos de gran importancia en la lengua.

El número

El número es la propiedad gramatical que diferencia mediante desinencias los valores singular y plural. En nombres y adjetivos, el plural se distingue por las marcas -s (*dedo/dedos*) o -es (*mil/miles*). En sustantivos contables el singular designa unidad (*libro*), mientras que el plural se refiere normalmente a más de uno (*libros*). El número refleja la concordancia entre sustantivos, adjetivos, determinantes y verbos: *Estos cuadros son hermosos*.

Sustantivos y adjetivos con final en consonante

Sing.	Plural	Ejemplos	Excepciones
-s, -x	*-es*	Monosílabos o polisílabos agudos: *vals-valses, fax-faxes, compás-compases*	Invariables: -Monosílabos: *los dux, los siux* -Compuestos agudos: *(los) ciempiés, (los) aguafiestas...*
	invariable	No agudos: *(las) crisis, (los) tórax*	
-l, -r, -n,-d, -z, -j	*-es* *-es ~ -s*	*-dóciles, colores, panes* *-píxeles ~ píxels, másteres ~ masters...*	Esdrújulas invariables en plural: *(los) polisíndeton, (los) cáterin...*
-ch	invariable	*-(los) crómlech...*	
	-es	*-sándwiches...*	
Otras	*-s*	*-cracs, snobs, chips, zigzags...*	*-clubs~clubes, álbums ~ álbumes*
Dos conson.	*-s* *-st*	*-récords, icebergs...* *-los test(s), los postcast(s)*	-Cons. + *-s: (los) fórceps*

Sustantivos y adjetivos con final en vocal

Singular	Plural	Ejemplos	Excepciones
Voc. átona	*-s*	*-casas, taxis, tribus*	
-á, -é, -ó,	*-s*	*-sofás, comités, burós, rococós*	Añaden *-es: faralaes, noes...* Alternan: *yos ~ yoes*
-í, -ú	*-es ~ -s*	*-bisturíes ~ bisturís, tabúes ~ tabús*	Gentilicios: *-es: israelíes, bantúes...* De otras lenguas: *-s: champús, menús...*
vocal + *-y*	*-es*	*-reyes, bueyes, convoyes...*	Palabras recientes añaden *-s: gais, jerséis, espráis, yoqueis...*

Plurales de abreviaciones

- Los acortamientos forman el plural como los sustantivos: *bicis*, *profes*, *coles*, *fotos*, *pelis*, *findes*, *buses*...
- Los símbolos se escriben sin marca de plural: *5 km*, *10 ha*, *a las 12 h*, *16 l*...
- Las siglas no llevan marca de plural: *los DNI* (**DNIs*), *las ONG*, *los CD*, *las PYME*... Sin embargo, las siglas pronunciables (acrónimos), que se escriben con minúscula, siguen las reglas generales: *ovnis*, *ucis*, *radares*, *leds*...
- Las abreviaturas presentan la *-s* del plural antes del punto: *págs.*, *eds*. Cuando la sigla es una sola letra, puede duplicarse: *pp*. (páginas), *ss*. (siguientes).

Plurales en secuencias nominales

- Las secuencias que combinan dos propiedades que se suman (*rey monje = rey + monje*) forman el plural los dos elementos: *príncipe(s) mendigo(s), cura(s) obrero(s), reina(s) madre(s), papa(s) monarca(s), decano(s) comisario(s), delantero(s) centro(s)...*
- Si el segundo elemento puede funcionar como atributo, concuerda en plural: *empresa líder* (la empresa es líder) → *empresas líderes*, *estado(s) miembro(s), palabras(s) clave(s)...* A veces el segundo elemento puede mantenerse sin variación: *actores fetiche(s), niñas modelo(s), jóvenes prodigio(s), fecha(s) límite, futbolistas estrella(s) ...*
- Si el sentido del segundo elemento es figurado, se mantiene invariable: *ley(es) mordaza, fondo(s) buitre...*
- Las secuencias cuyo segundo elemento establece una clase o «un tipo de» (*rayo láser* es «un tipo de» rayo) solo forma plural el primero: *cama(s) nido, café(s) teatro, músicas pop, revistas tecno, movimientos okupa, cines porno, realidad cíber, cámaras web, personas trans, billetes ida-vuelta...*
- En las aposiciones de color solo forma plural la base: *verde(s) esmeralda, gris(es) arena, azul(es) cielo, negro(s) humo...*

Dobles plurales

- Por influencia de los extranjerismos, se vienen generalizando plurales en *-s* en préstamos que tradicionalmente exigían *-es* (*fans*, *leds*). Es un proceso de evolución normativa que hoy permite la convivencia de las dos formas: *gánsters-gánsteres*, *pósters-pósteres*, *másters-másteres*, *córners-córneres*, *pins-pines*, *blísters-blísteres*, *séniors-séniores*, *búnkers-búnkeres*, *píxels-píxeles*...

Plurales de voces extranjeras

- Las voces extranjeras terminadas en *-y* precedida de consonante deben adaptarse gráficamente al español sustituyendo la *-y* por *-i* para formar su plural añadiendo *-s* aplicando la regla general para estas palabras en español: *dandi* (del ingl. *dandy*), pl. *dandis; panti* (del ingl. *panty*), pl. *pantis; penalti* (del ingl. *penalty*), pl. *penaltis*.
- Los latinismos adaptados se atienen a la norma general: *pluses*, *lapsus*, *hábitats*, *ítems*, *currículums*, *déficits*... Los latinismos crudos no se adaptan a nuestra ortografía, se mantienen invariables: *species*, *philosophia*...

Adjetivos formados por prefijo + sustantivo

Los adjetivos formados por la adición de un prefijo a un sustantivo son invariables en plural: *faros antiniebla* (no *faros antinieblas*), *máscaras antigás* (no *máscaras antigases*), *sistemas multifrecuencia* (no *sistemas multifrecuencias*). Algunos de estos adjetivos tienen como base un sustantivo plural, de ahí que presenten una *-s* final tanto en singular como en plural: *policía antidisturbios*, *policías antidisturbios*. Otros tienen dos formas admitidas: *mina* o *minas antipersona*, *mina* o *minas antipersonas*.

Compuestos formados por dos o más adjetivos unidos con guion

- Los compuestos formados por dos o más adjetivos unidos con guion forman el plural y también el femenino variando solo el último de estos adjetivos, mientras que el resto permanecen invariables: *cursos teórico-prácticos*, *relaciones léxico-semánticas*, *conflictos árabe-israelíes*.

IV.2

Sintaxis

Siempre he creído que la claridad es la cortesía del filósofo.

(J. Ortega y Gasset, «¿Qué es filosofía?)

Construcciones pasivas

Pasiva con *ser*

Se forma con el verbo *ser* más el participio de un verbo transitivo, que concuerda en género y número con el sujeto. Presentan un cruce de las funciones asignadas al agente y al paciente con respecto a las construcciones activas:

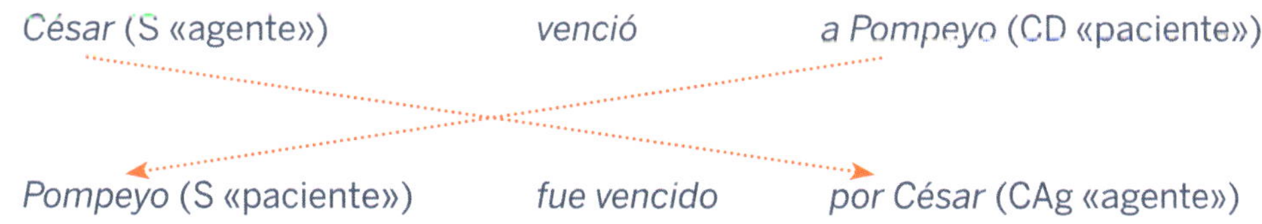

Las construcciones pasivas pueden llevar complemento agente (*Los vecinos serán indemnizados por la empresa*); pero normalmente prescinden de él (*La reunión fue convocada el lunes*; *Los requisitos serán publicados en el* Boletín Oficial del Estado).

En los textos jurídicos las pasivas con *ser* se utilizan con una frecuencia muy superior a la del lenguaje llano. Aunque son plenamente correctas, representan un estilo rígido y alejado del uso ciudadano. La expresión gana mayor naturalidad cuando un proceso se transmite a través de la construcción activa.

Recomendación:

Evitar el exceso en la frecuencia de las construcciones pasivas. Su correspondiente activa resultará más cercana y clara:

- *Un equipo de medida y de verificación de residuos será creado por la Consejería de Medio Ambiente para atender esta necesidad.*
  → Mejor: *La Consejería de Medio Ambiente creará un equipo de medida y de verificación de residuos para atender esta necesidad.*

Pasiva refleja

Se forma con el verbo transitivo más un *se* que anula el sujeto agente (es una forma de impersonalizar). El complemento directo sin preposición pasa a ser sujeto y a concordar con el verbo, aunque se mantenga pospuesto:

La pasiva refleja es más común y natural que la pasiva con *ser*. Se utiliza tanto en el lenguaje cotidiano como en los textos jurídicos: *Los beneficios se distribuirán entre todos los socios.*

Sin embargo, en los textos jurídicos abundan las pasivas reflejas con agente. Es una característica propia de esta variedad lingüística, pero resulta extraña y jergal para el ciudadano medio.

> Recomendación:
> En las pasivas reflejas, es mejor evitar el uso del complemento agente. Es un rasgo propio de la comunicación jurídica que aleja esta construcción del nivel estándar que persigue el lenguaje claro.
> Cuando la presencia del agente sea necesaria, se aconseja utilizar la construcción activa:
>
> - *Estas becas se podrán solicitar por los estudiantes con escasos recursos.*
>   → Mejor: *Los estudiantes con pocos recursos podrán solicitar estas becas.*
> - *Por la demandada se manifiesta tener interés en el proceso.*
>   → Mejor: *La demandada manifiesta tener interés en el proceso.*

Pasiva nominal

Los sustantivos derivados de verbos transitivos aparecen asimismo en construcciones activas y pasivas nominales.

Activa. El primer complemento del nombre representa al agente (*el rector*)

Pasiva. El primer complemento del nombre representa al paciente (*un convenio*)

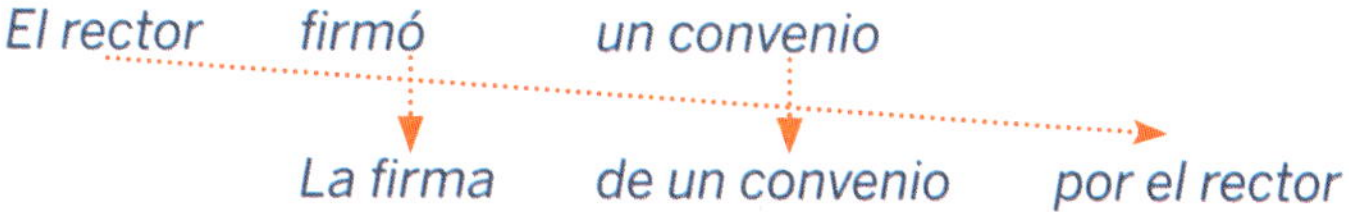

La pasiva nominal es un recurso muy útil en el lenguaje jurídico cuando se desea evitar la proliferación de oraciones subordinadas. Sin embargo, se pueden encadenar varios complementos nominales con la preposición *de*, hecho que suele crear secuencias ambiguas y que siempre perjudica la claridad. La secuencia *La denuncia del vecino del administrador* puede interpretarse de tres formas:

1) El vecino denuncia al administrador; 2) El administrador denuncia al vecino; 3) Denuncian al vecino del administrador.

Recomendaciones:

1) Evitar estas ambigüedades sustituyendo la preposición *de* por otras preposiciones:
   - La denuncia del vecino contra el administrador.
   - La denuncia del administrador contra el vecino.
2) Introducir el complemento agente por medio de la expresión *por parte de*:
   - La crítica del presidente del ministro de cultura.
   - La crítica del ministro de cultura por parte del presidente.

Discordancias de género y de número

La concordancia es la coincidencia obligada de determinados accidentes gramaticales entre elementos de la oración. Tiene la función esencial de indicar la existencia de relaciones gramaticales entre distintas partes de la secuencia. Por ello, la correcta aplicación de la concordancia tiene grandes repercusiones en el lenguaje claro. A pesar de su valor, las discordancias son frecuentes.

Determinantes ante femeninos iniciados por /a/ tónica

Ante sustantivos femeninos que comienzan por *a* o *ha* tónicas se utilizan las formas *el, un, algún, ningún*: *el aula, algún alma, ningún arma*.

Sin embargo, no dejan de ser sustantivos femeninos, por lo que se combinan con las formas *esta, esa, aquella* de los demostrativos: *esta acta, esa aula*. Por el contrario, para los adjetivos que comienzan por *a* o *ha* tónicas se utilizan las formas *la*, *una*, *alguna* y *ninguna*: *la ancha, una amplia...*

Advertencias:

- No se deben usar ante estos sustantivos las formas *la, una, alguna y ninguna*: **la ala*, **una ala...*
- Por el contrario, con los demostrativos es incorrecto el uso de las formas *este, ese, aquel*: **este acta, *ese área, *aquel arma...*

Tratamientos de respeto

Los sustantivos de respeto como *alteza*, *majestad*, *señoría*, *excelencia* concuerdan en femenino con los posesivos y adjetivos que los acompañan: *vuestra majestad serenísima.* En función de atributo, concuerdan con el referente del sujeto: *Su excelencia está fatigado* (varón) / *Su excelencia está fatigada* (mujer).

Yuxtaposición y coordinación

Las oraciones compuestas son coordinadas cuando vienen unidas por una conjunción coordinante (*Vienen, se sientan y esperan*) y yuxtapuestas si carecen de nexo (*Vienen, se sientan, esperan*).

> Observación:
> La posibilidad de coordinar entre sí grupos y oraciones dota a la lengua de una enorme capacidad de expresión y de relación de ideas y acontecimientos. Sin embargo, el exceso y el abuso de coordinaciones y yuxtaposiciones son enemigos del lenguaje claro.

En el siguiente cuadro se resumen los tipos de coordinadas y sus nexos:

Tipo	Conjunciones	Marcadores
Copulativas	*y, e, ni, tanto... como...*	*también, asimismo, así como*
Disyuntivas	*o, u*	*o bien*
Adversativas-1 Adversativas-2	*pero* *sino*	*sin embargo, no obstante* *al contrario, con todo, antes bien*
Distributivas	*ya...ya..., bien... bien...*	
Explicativas		*o sea, es decir, a saber*

Párrafos coordinados largos

Las construcciones coordinadas pueden relacionarse en racimo:

Paz nos invitó (1), María sacó las entradas (2) y Laura se informó de las combinaciones (3), pero mamá se puso enferma (4) y, además, me llamaba constantemente; o sea, o dejaba sola a mamá (6) o dejaba plantado a mi novio (7).

Repetición de conjunciones

La repetición insistente de una misma conjunción es un hecho común en muchos textos jurídicos, lo que afecta a la claridad interpretativa. En tales casos, conviene introducir variación de coordinantes:

*La protección **y** mejora de la calidad del medio ambiente, respetando la biodiversidad zoológica **y** fitológica **y** la conservación programada **y** vigilada **y** la utilización razonable **y** sostenible de los recursos naturales...*	*La protección **y** mejora de la calidad del medio ambiente, respetando **tanto** la biodiversidad zoológica **y** fitológica **como** la conservación programada **y** vigilada, **así como la** utilización razonable **y** sostenible de los recursos naturales...*

A veces es suficiente introducir un punto o una coma, acompañándolos, si es necesario, de un marcador de su mismo significado. Estas divisiones y cambios dan aire al párrafo y lo hacen más inteligible.

*También se contempla el que la Administración de la comunidad fomente la participación de su personal para la colaboración en acciones, proyectos **y** programas de cooperación **y** ayuda humanitaria **y** se regula la posibilidad de solicitar la colaboración **y** de contratar personas físicas o jurídicas especializadas, provenientes del sector privado o de otras instituciones, bajo la normativa propia de la contratación pública.*	*También se contempla el que la Administración de la comunidad fomente la participación de su personal para la colaboración en acciones, proyectos **y** programas de cooperación **y** ayuda humanitaria. **Asimismo,** se regula la posibilidad de solicitar la colaboración **y** de contratar personas físicas o jurídicas especializadas, provenientes del sector privado o de otras instituciones, bajo la normativa propia de la contratación pública.*

Subordinadas de relativo

Los relativos realizan varios papeles en la secuencia:

- Subordinan la oración que introducen: *la ley que cita*.
- Se refieren a un antecedente: *la curva donde chocaron*.
- Contraen en la oración subordinada una función propia de la categoría a la que pertenecen: *la cuestión que* (CD) *plantea*.

Esta triple función dota a los relativos de una potencia para conectar ideas, por lo que son muy utilizados. Sin embargo, a veces se producen excesos.

Recomendaciones:

- Evitar que el antecedente quede muy lejos, ya que a veces crea dificultades para saber a qué se refiere el relativo.
- Puntuar de forma adecuada para no confundir relativas especificativas con relativas explicativas.
- Evitar la repetición de relativas incrustadas en otras relativas: *los insecticidas que tienen efectos que producen enfermedades que afectan a los que trabajan.*
- Utilizar con mesura las formas *el cual*, *la cual*... ya que, frente a *que*, dan lugar a un estilo rígido, alejado del lenguaje llano. Es desaconsejable cuando se emplean sin preposición: *Vino un inspector, el cual impuso nuevas normas*. Mejor: *Vino un inspector que impuso nuevas normas*.
- Restringir por la misma razón el uso de «artículo + *cual*» como demostrativo: *en defensa del cual, por causa de lo cual*...

Quesuismo

Se ha de evitar la sustitución del relativo *cuyo* por la secuencia *que su*:

Correcto	Evitar
Un chico cuya novia es médica.	*Un chico que su novia es médica.*
Una casa cuya puerta es de hierro.	*Una casa que su puerta es de hierro.*

Subordinadas sustantivas

Se denominan así porque se comportan en la oración como los grupos nominales: contraen funciones nominales (sujeto, CD...), se sustituyen por nombres o pronombres y se pueden coordinar con ellos. Se diferencian varios tipos de sustantivas:

ENUNCIATIVAS CON *QUE*. Expresan certidumbre: *Afirma que ya han llegado*. Aparecen directamente unidas al verbo (sujeto, CD, atributo) o a través de preposiciones (complemento de régimen, complementos circunstanciales...): *Me gusta que haga sol; Queremos que gane el torneo; Se acuerda de que tus padres lo ayudaron en momentos difíciles.*

INTERROGATIVAS INDIRECTAS TOTALES. Se construyen con la conjunción *si*. Expresan incertidumbre o interrogación: *No saben si llegarán a tiempo*; *Preguntan si estamos preparados*; *Plantearon el problema de si los animales piensan*.

INTERROGATIVAS PARCIALES. Se forman con partículas interrogativas (*qué, quién, cómo, dónde*...): *Describe cómo se ensambla el mueble; Pregunta cuándo vas a venir; Adivina quién viene esta noche*.

EXCLAMATIVAS. Expresan exaltación de ánimo. Utilizan también las formas tónicas *qué, quién, dónde, cuándo, cómo*...: *No te imaginas cómo jugaron*.

La gran variedad y flexibilidad de las oraciones sustantivas hace que se utilicen muchísimo en el lenguaje jurídico.

Recomendaciones:

- En descripciones, argumentaciones y narraciones se ha de evitar la multiplicación de oraciones sustantivas. Se pueden sustituir alternativamente por nombres o por construcciones de infinitivo.
- En las interrogativas y exclamativas indirectas no se utilizan los signos de interrogación y de exclamación, pero las partículas tónicas (*qué*, *dónde*, *cómo*...) se acentúan igualmente.

Dequeísmo

Es un vicio de dicción que consiste en introducir de forma anómala la preposición *de* ante la conjunción completiva *que*.

Recomendación:
En caso de duda, es útil realizar la pregunta con el interrogativo *¿qué?* Si en la pregunta no aparece la preposición, el uso de *que* es incorrecto.

Correcto	Incorrecto	Comprobación
Me alegra QUE *seáis felices.*	*Me alegra* DE QUE *seáis felices.*	*¿Qué te alegra ?*
Es seguro QUE *vendrá.*	*Es seguro* DE QUE *vendrá.*	*¿Qué es seguro?*
Le preocupa QUE *no venga.*	*Le preocupa* DE QUE *no venga.*	*¿Qué le preocupa?*
Temo QUE *no se entere.*	*Temo de* QUE *no se entere.*	*¿Qué temo?*
Sospecha QUE *fueron ellos.*	*Sospecha de* QUE *fueron ellos.*	*¿Qué sospecha?*

Queísmo

Falta que consiste en no incluir la preposición *de* ante la conjunción completiva *que* cuando la preposición es regida por el verbo:

Recomendación:
En caso de duda, se hace la pregunta con el interrogativo *¿qué?* Si en la pregunta aparece la preposición, el uso sin preposición es queísta y, por tanto, incorrecto.

Correcto	Incorrecto	Comprobación
Me alegro DE QUE *vengas.*	*Me alegro* QUE *vengas.*	*¿De qué te alegras?*
Me acuerdo DE QUE *es lunes.*	*Me acuerdo* QUE *es lunes.*	*¿De qué te acuerdas?*
Me olvidé de QUE *es lunes.*	*Me olvidé* QUE *es lunes.*	*¿De qué me olvidé?*
La convenció de QUE *es fácil.*	*La convenció* QUE *es fácil.*	*¿De qué la convenció?*

Estilo directo (ED) y estilo indirecto (EI)

En el estilo directo el emisor se compromete a reproducir de forma literal las palabras emitidas en otro acto de habla. Las construcciones de estilo directo tienen dos partes.

A: Discurso introductorio	B: Discurso de reproducción literal
El presidente dijo ante el rey:	*«Juro acatar la Constitución».*

> **Observación:**
> El segmento A va al inicio o en un inciso tras una raya. El segmento B se escribe entre comillas cuando va detrás de dos puntos:
> - *El presidente dijo ante el rey: «Juro acatar la Constitución».*
> - *Juro acatar la Constitución —dijo el presidente.*
> - *Juro —dijo el presidente— acatar la Constitución.*

Las construcciones de estilo indirecto:

- Tienen la misma estructura binaria (segmentos A y B): *El presidente dijo* (A) *que juraba la Constitución* (B).
- El emisor de A no se compromete a reproducir literalmente lo dicho en B. El enunciado literal sufre una modificación para adaptarse al contexto.
- El segmento B viene introducido por el subordinante *que* o un interrogativo: *Dijo que acataría la Constitución*; *Le preguntó cuántos años tenía*, *No sé dónde pondremos tantos libros*.
- Se modifican las referencias de lugar, de tiempo y de persona, así como las formas verbales en correlación con el tiempo del verbo principal:

Dijo:	«Mañana	yo	demostraré	aquí	mi inocencia».
	↓	↓	↓	↓	↓
Dijo que	al día siguiente	él	demostraría	allí	su inocencia.

ED y EI incrustados en el lenguaje jurídico

En el lenguaje jurídico la necesidad de incluir citas literales en una narración indirecta hace que de forma constante aparezcan tras la conjunción *que* segmentos entre comillas. Es la incrustación de un segmento literal (estilo directo) en una redacción de estilo indirecto.

Recomendaciones:

1) No se colocan dos puntos tras la conjunción *que*. Los dos puntos corresponden al estilo directo. Por ejemplo, se han de quitar en el siguiente caso:
    - Conviene recordar, como hemos hecho [...] en la sentencia 535/2015, de 15 de octubre, que: «en nuestro sistema el procedimiento civil sigue el modelo de la doble instancia...».
2) Carece de sentido introducir la conjunción *que* y, a continuación, reproducir entre comillas la cita literal:
    - *El papa dijo que «Roma es eterna».*
    - *El testigo dijo que «cuando llegué a mi casa, oí un ruido atronador».*
3) Cuando tras la conjunción que se adjunta un texto literal, se corre además el peligro de incurrir en un defecto de construcción:
    - *El cónsul dijo que «Roma no paga a traidores» (*paga* por *pagaba)*
    - *El testigo dijo que «cuando *llegué a mi casa, *oí un ruido atronador».*
4) Es posible unir *que* a la cita entrecomillada cuando la correlación de tiempo y espacio no se resienta. Así ocurre en el primer punto, pero no en el segundo:
    - *... se arguye que «no existe fuente normativa de origen legal que establezca un límite máximo a esos aspectos [...]» y que «no ponemos en tela de juicio que los convenios colectivos no sean inmunes al régimen jurídico de las condiciones laborales establecido en la ley o en las normas con dicho rango...».*
5) Para evitar incongruencias, conviene que las citas tras *que* no sean largas.

IV.3

Discurso

Siempre la claridad viene del cielo;
es un don: no se halla entre las cosas
sino muy por encima, y las ocupa
haciendo de ello vida y labor propias.

(Claudio Rodríguez, *Don de la ebriedad*, I)

La adecuación

Los mensajes y los textos no solo han de ajustarse a las reglas del código (corrección gramatical, léxica y ortográfica), sino que han de cumplir otras normas de uso que los hace adecuados, convenientes, oportunos, etc. El incumplimiento del principio de adecuación conduce al fracaso comunicativo: o arruina la comprensión, o bien impide el alcance de sus fines.

Recomendaciones:

- Ajustarse en todo momento al asunto del que trata el discurso, evitando incisos innecesarios, temas laterales injustificados, citas largas, etc.
- Acomodar léxico, sintaxis y profundidad científica a los conocimientos del destinatario. La Justicia, la Administración, las empresas, la medicina... han de ser muy exigentes en su cumplimiento, pues las consecuencias pueden ser graves.
- Adecuarse a la situación y lugar en el que se produce el discurso: no tiene las mismas repercusiones un mensaje emitido en privado o en público, hablado o escrito, grabado o no.
- Ajustarse al tono y al nivel de formalidad que exige la situación.
- Acomodar el acto de habla a los fines que se persiguen.
- Amoldar el texto al marco adoptado. El discurso argumentativo se fundamentará en razones sólidas y coherentes. La descripción efectuará un recorrido ordenado de las características de la persona o del objeto descrito. Las narraciones deben ser objetivas y relevantes. Las exposiciones han de ser claras y fundamentadas.
- Adecuar los mensajes al nivel de lengua de los destinatarios. Este es una norma fundamental para conseguir la claridad lingüística que ha de presidir los textos administrativos, científicos o técnicos dirigidos a la inmensa mayoría o a la totalidad de los ciudadanos.
- Evitar expresiones que puedan ser ofensivas contra personas o grupos desfavorecidos por sus características personales (color, sexo, origen racial o social...) o por sus creencias religiosas.
- Respetar en todo momento las reglas de cortesía.

La coherencia

Los textos son construcciones que presentan una estructura interna. Están formados por unidades (palabras, oraciones, párrafos) ensambladas mediante relaciones que les dan solidez.

La coherencia es la trabazón que presentan las diferentes partes de un discurso lingüístico. Esta congruencia entre las partes de un texto crea una sensación de unidad, de todo organizado, de textura. Es la propiedad que permite comprender e interpretar los discursos. Por ello, es una característica básica en la construcción del lenguaje claro. Coherencia se opone a:

- Contradicción o contrariedad. Un mensaje no es coherente con su contrario.
- Incongruencia. Un texto es incoherente si sus partes se hallan disgregadas.

La coherencia es un principio básico que rige en todo tipo de textos, especialmente en los científicos, jurídicos y administrativos.

Recomendaciones:

- Que los textos jurídicos o administrativos sean congruentes con principios generales o disposiciones legales en vigor.
- Que los textos científicos sean coherentes con los principios de los que se parte y con los resultados que se pretende demostrar, narrar o describir.
- Que las partes (palabras, oraciones, párrafos...) tengan sentido en sí mismas, sean congruentes entre sí y sean coherentes con las unidades superiores en las que se integran.
- Que la información progrese de forma ordenada y comprensible.
- Que se perciban de forma clara las relaciones que unen los enunciados y su relación con el asunto que desarrollan.
- Que entre los párrafos y grupos de párrafos exista congruencia con la estructura del tipo de texto al que pertenecen (sentencia, convocatoria, solicitud, contrato...).
- Que no existan digresiones que distraigan la atención.

Incongruencias literarias

La función poética del lenguaje crea ámbitos en los que se permite la ruptura con la literalidad, la objetividad, la precisión e incluso la congruencia que se exige a los textos científicos, informativos, jurídicos y administrativos. Su expresión prototípica son las figuras de pensamiento o figuras poéticas, que aparecen en la literatura (y también en el lenguaje común). Estas figuras encuentran en el habla un sentido que trasciende la interpretación literal.

Figuras de imagen. Sustituyen la imagen real por otra semejante: metáfora (*Romeo es el sol*), símil (*El amor es como una fiebre*), sinestesias (*Recuerdo amargo*), alegorías... Aunque pueden ser útiles en algunos momentos, en general, se desaconseja su uso en el lenguaje jurídico, administrativo y científico-técnico.

Figuras de cantidad. Modifican la cantidad o el grado de una magnitud, bien por exageración o exceso (*hipérbole*), bien por atenuación o defecto (*lítotes*). En general, se recomienda evitar su uso en textos de los que se espera una información objetiva, real y cuantitativamente exacta.

Figuras de contradicción o identidad. Las primeras hacen coexistir dos términos contrarios o contradictorios. Así, la paradoja (*Esta vida no es vida*) y el oxímoron (*dulce amargura*). En el lado opuesto, el predicado de la tautología es idéntico a su sujeto (*Un hijo es un hijo*). Aunque en el uso literario encuentran una interpretación coherente, se desaconseja usarlas con tino en las disciplinas científicas y jurídicas, en las que rige la interpretación literal.

Figuras irónicas. En la ironía o antífrasis una expresión ha de ser interpretada por su sentido contrario: *Mi jefe es muy generoso* (por 'tacaño'). En ámbitos científicos y jurídicos, se evitan porque su expresión literal no es objetiva y también porque muchos enunciados irónicos tienen como finalidad atacar al interlocutor. En estos casos no se respeta el principio de cortesía.

Mecanismos de cohesión

Los mecanismos de cohesión son recursos que nos ayudan a percibir el orden y las relaciones que mantienen las partes de un texto entre sí y en su relación con el todo. Estos procedimientos son variados: gramaticales (conjunciones), semánticos (marcadores de discurso), fónicos (repeticiones, rimas, ritmo...), etc.

Marcadores del discurso

Son expresiones invariables y tónicas, situadas entre pausas, que manifiestan relaciones (conectores), ordenan la información (estructuradores) o introducen una nueva forma de expresar lo dicho (reformuladores). Se aconseja acudir a ellos para cohesionar un discurso.

Se recomiendan conectores de discurso para:

- Unir dos elementos de la misma orientación: *además, incluso, encima...*
- Introducir una consecuencia: *así pues, por lo tanto, así, en consecuencia...*
- Contraargumentar (adversativos): *sin embargo, por el contrario, antes bien, no obstante, con todo, ahora bien, en cambio...*
- Expresar causa (*por ello, por eso...*) o condición (*a condición de, siempre que...*).

Se recomiendan estructuradores para:

- Introducir orden entre las partes: *en primer lugar, después, a continuación...*
- Señalar una digresión: *a propósito, por cierto, también, en cuanto a...*
- Introducir un nuevo tema: *en cuanto a, en lo que se refiere a, referente a...*
- Confirmar algo: *en efecto, por supuesto, efectivamente, por descontado...*

Se recomiendan reformuladores para:

- Explicar algo: *es decir, esto es, o sea, de otra manera...*
- Rectificar o mejorar lo expresado: *mejor dicho, más bien...*
- Resumir (*en suma, en resumen, en síntesis*), o concluir (*en conclusión...*).

Párrafo largo

El párrafo es un conjunto de enunciados que tratan de un asunto o tema de forma coherente y cohesionada. En la redacción jurídica tradicional, se impuso como norma, especialmente en las sentencias, que el párrafo debía estar formado por una sola oración.

El resultado eran párrafos enormes y desorganizados que ni siquiera los profesionales podían seguir en una lectura atenta.

El párrafo largo de un solo punto es una de las barreras más importantes de la expresión jurídica contra el lenguaje claro. Todas las medidas que actúen para abreviarlo y simplificarlo, como reducir coordinaciones, subordinaciones, incisos y formas poco naturales de ensartar oraciones, contribuirán de forma decisiva a mejorar el lenguaje jurídico.

Defectos comunes del párrafo largo:

- Multiplicación de coordinaciones y subordinaciones en diferentes niveles.
- Abundancia de informaciones secundarias insertas en incisos y construcciones explicativas, que distraen la atención de la línea discursiva y dificultan la comprensión.
- Frecuencia de citas textuales o referencias a textos legales colgadas como incisos del hilo discursivo.
- Abuso de nominalizaciones en sustitución de subordinadas.
- Abuso de pronombres y expresiones para referirse a lo dicho antes.
- Repeticiones sinonímicas que no aportan información nueva, pero que alargan sin necesidad el párrafo.
- Incongruencias sintácticas causadas por la extensión y la complejidad de relaciones existentes. Surgen problemas de concordancia, de rección y en el uso de preposiciones.
- Problemas semánticos como incongruencias, ambigüedades léxicas y referenciales.
- Cambios de tema en el interior de un mismo punto, excursos laterales que impiden seguir el hilo del discurso...

Consecuencias

El párrafo jurídico, que normalmente solo consta de un punto, es fuente de numerosos problemas que afectan a la claridad del lenguaje:

- Crea textos de difícil comprensión, a veces ininteligibles.
- Es un discurso que pierde fácilmente el hilo argumental.
- Se producen incongruencias formales y de sentido (muchas veces a causa del «corta y pega»); como consecuencia, se forma un puzle difícil de recomponer.
- Provoca errores en la interpretación.
- Dificulta el resumen y la memorización.
- Crea textos paradójicos. Por un lado, la redacción se alarga en busca de la máxima precisión y, por otro, se produce un texto desmembrado y opaco.

Recomendaciones:

- Dividir, dividir y dividir el párrafo en enunciados cortos.
- Usar adecuadamente la puntuación.
- Utilizar marcadores y conectores que expliciten las relaciones.
- Evitar incisos que rompen con el hilo conductor del contenido.
- Evitar referencias legales en línea.
- Evitar expresiones sintácticas complejas.
- Reducir el número de oraciones subordinadas.
- Reducir nominalizaciones y gerundios de enlace, utilizados para alargar el texto innecesariamente.
- Sustituir el hipérbaton en favor de un orden lógico en la sintaxis.
- Sustituir por puntos las aposiciones utilizadas para iniciar un nuevo mensaje.
- Evitar las repeticiones sinonímicas.
- Reducir las referencias a expresiones lejanas (*el mismo*, *aquel*, *el susodicho*...), pues crean indeterminación y ambigüedad.

Aplicación a un ejemplo

En el siguiente párrafo que se toma como ejemplo se divide el texto en tres enunciados, se precisa la puntuación, se quitan gerundios, se sustituyen pasivas por activas, se introducen marcadores...

Se sostiene por la parte actora **que** el sindicato USCA ha sido objeto de discriminación, pero **para que** pueda apreciarse la existencia de esta situación, lo primero **que** se precisa es ***que*** se fije un término comparativo, estableciendo respecto **a qué o a quién** se discrimina, **lo que** omite la actora **ya que** se limita a referirse a **que** el comportamiento de la demandada constituye una exclusión y un rechazo de esta entidad sindical, con el «propósito de entorpecer y desprestigiar la actividad sindical de USCA», y **ello** resulta sumamente difícil teniendo en cuenta **que** «más del 95 % de los controladores aéreos de AENA están afiliados a este sindicato».	Sostiene la parte actora que el sindicato USCA ha sido objeto de discriminación. **Pero, para** que pueda apreciarse la existencia de esta situación, lo primero que se precisa es que se fije un término comparativo, **es decir**, que se establezca respecto a qué o a quién se discrimina. **Sin embargo**, **esta información es omitida por la** parte actora, ya que se limita a referirse a que el comportamiento de la parte demandada constituye una exclusión y un rechazo de esta entidad sindical, con el «propósito de entorpecer y desprestigiar la actividad sindical de USCA». **Todo ello** resulta sumamente difícil ***si se tiene*** en cuenta que «más del 95 % de los controladores aéreos de AENA están afiliados a este sindicato».

Recomendación:

Someter los borradores de textos jurídicos y administrativos a un proceso de corrección de estilo realizado por profesionales que conozcan el valor de la terminología lingüística y que, a la vez, sean conscientes de las repercusiones positivas de la claridad en el lenguaje.

Incisos

La prosa castellana fluye en secuencias muy cercanas al llamado orden natural, inspirado en el orden lógico. No ocurre así con relativa frecuencia en el estilo jurídico. A veces se utilizan fórmulas de otras épocas, arcaicas, o se recurre a estructuras retóricas y pomposas, que rompen dicho orden con incisos para hacer referencias marginales, introducir citas, recordar pensamientos o referencias ya dichos...

Recomendación:
Evitar, dentro de lo posible, la inclusión de incisos marginales (especialmente los largos) para dar explicaciones que rompen el discurso o bien para añadir citas legales o bibliográficas que pueden hallar otra forma de expresión.

Hipérbaton

El hipérbaton es el cambio de orden de un segmento que altera la posición exigida por la gramática o el orden lógico. El hipérbaton se admite en el lenguaje literario, pero dota a los textos jurídicos de una rigidez que los aleja del lenguaje común de la ciudadanía.

Recomendaciones:

- No anteponer el agente al participio: *por el usuario ya cumplimentada*.
- No interponer adjetivos o adverbios entre el nombre y un complemento clasificador: *los trabajadores airados del metal*.
- No cambiar la posición de los incisos.
- Evitar incisos muy largos, que desvían la atención del hilo discursivo.
- No anteponer adjetivos y participios al nombre: *desde la perspectiva de la esencial función, el suprimido decreto, la expresada prohibición*...
- Evitar todo cambio de orden que introduzca confusión, ambigüedad o indeterminación; es decir, todo orden que afecte a la claridad de los textos.
- Evitar incisos de referencia a disposiciones legales cuando son largos.

Enumeraciones

Las enumeraciones son relaciones o listas de datos, de hechos... (entradas, ítems o apartados). Se unen en relaciones de elementos yuxtapuestos o coordinados. Son frecuentes en textos legales, judiciales y administrativos, así como en los científicos: descripciones, narraciones (lista de sucesos), argumentaciones (relación de argumentos, de causas, de conclusiones...). Las enumeraciones suelen constar de dos partes:

INTRODUCCIÓN. Es una expresión genérica antepuesta cuyo contenido incluye todos los ítems de la enumeración: «las siguientes causas», «estos efectos», «las siguientes condiciones». Si son ejemplos, suelen ir seguidos de dos puntos o de enlaces: *como*, *por ejemplo*, *a saber*, *entre otros*...

ENUMERACIÓN. Adjunta una relación ordenada de ítems. Cuando son breves, aparecen en la misma línea. Sin embargo, las relaciones de enunciados o entradas largas, cuyo orden se expresa con letras, números..., se exponen en forma de lista.

Recomendaciones:

Las entradas han de presentar:

1) Homogeneidad semántica. La relación de entradas ha de ser coherente. Todos los ítems se agrupan bajo un mismo rasgo acotado por el término genérico (*regalos* en el siguiente ejemplo):
   - *Recibí muchos regalos: discos, libros, flores, colonias.*
2) Homogeneidad formal. Los términos que componen una enumeración han de pertenecer a la misma categoría (nombres, adjetivos, infinitivos):
   - *Combina muchos valores: inteligencia, observación, trabajo...*
   - *Exigimos: que tenga 18 años, que haya cursado bachillerato, que sea amable...*

Observaciones:

- Las enumeraciones introducen orden, claridad y favorecen la memorización.
- Las enumeraciones bien ordenadas favorecen el lenguaje claro.

Estilo técnico y lenguaje claro

En lengua, el estilo es la peculiar manera de expresarse de un hablante o de un grupo social. El universo jurídico ha forjado a lo largo de los siglos un particular estilo en la composición de sus textos. Es común la opinión de los ciudadanos de que ese estilo es arcaico, arcano, artificial, engolado, frío, farragoso, confuso, opaco, difícil de comprender y, en todo caso, alejado de la forma ciudadana de hablar cada día. Con el fin de buscar mayor claridad, se insiste en algunas propuestas.

Recomendaciones:

- Evitar el estilo acumulativo: párrafos largos que suman muchas oraciones coordinadas y subordinadas.
- Eludir las formas de ensartar enunciados (como gerundios de enlace o aposiciones acumulativas: *Llegarán el lunes, día que*...).
- Alejarse del estilo culto, distante y frío a causa de tecnicismos, latinismos y sintaxis recargada.
- Extraer incisos y explicaciones marginales que desvían la atención de la línea discursiva del texto y afectan a la claridad interpretativa.
- Expresarse en una sintaxis sencilla, breve, coherente y adecuada a la comprensión de la ciudadanía.
- Evitar latinismos, arcaísmos, giros retóricos y formularios, repeticiones sinonímicas o enfáticas (*se personen y comparezcan*), construcciones perifrásticas (*se tienen por reproducidas*), expresiones redundantes (*idénticamente iguales, idiosincrasia propia, divisas extranjeras, prever con antelación*), adjetivación excesiva (*obstrucción legal arbitraria y burocrática entorpecedora*), expresiones reiterativas (*debo condenar y condeno*), *construcciones absolutas* (*informados los comparecientes*)...
- Explicar o sustituir, siempre que el cambio no produzca imprecisiones legales, la terminología jurídica por expresiones equivalentes.

IV.4

Semántica

Los políticos hablan pero no dicen.

(Eduardo Galeano, *Amares*)

El significado

La semántica es la disciplina que estudia el significado constante, literal, codificado de las palabras y de las expresiones lingüísticas. Se opone a la pragmática, cuyo objeto es explicar el sentido intencional, contextual, variable y no codificado de los mensajes.

Significado	Sentido
Constante, social, codificado	Variable, intencional, no codificado
Semántica	Pragmática

Significado y lenguaje jurídico

Según un aforismo del derecho romano, las normas jurídicas han de ser interpretadas no según el sentido particular de los individuos, sino según el significado propio de sus palabras. Es decir, según el valor codificado de los términos, significado que se refleja en las descripciones legales, así como en la definición que ofrecen los diccionarios, en especial el *Diccionario de la lengua española* (*DLE*).

Las connotaciones

Las connotaciones son significaciones secundarias que asociamos subjetivamente a las palabras dependiendo del papel que hayan tenido en nuestra experiencia individual, cultural o social. La voz *ópera* no provoca los mismos sentimientos en un aficionado a la música que en aquellos que no la disfrutan. *Terrorismo*, *paro*, *desahucio*... provocan reacciones sociales negativas. La voz *blanco* designa ausencia de color, pero connota culturalmente pureza.

Las connotaciones se asocian a valoraciones positivas o negativas hacia la palabra misma. Por eso, en el lenguaje retórico, tanto en el dirigido a grupos como a individuos, juegan un papel muy importante. Las connotaciones positivas de palabras como *futuro*, *progreso*, *aumento salarial* «acarician» y atraen.

Referencia y lenguaje claro

Los referentes son las cosas que señalamos o identificamos con nuestras palabras en los actos de habla.

Mientras que el significado de una expresión es constante, los referentes varían normalmente en cada situación. La secuencia *esta ley*, sin cambiar de significado, puede utilizarse para señalar distintas leyes, dependiendo de cada situación.

Son referenciales los grupos nominales con determinantes y adjetivos, los pronombres, los verbos y los adverbios.

Observaciones:

- La función referencial (la capacidad de señalar cosas) es una propiedad esencial del lenguaje.
- Las expresiones deben posibilitarnos identificar sus referentes en cada situación.
- Las expresiones que no nos permiten señalar y reconocer los referentes son enemigas del lenguaje claro.

El sentido implícito

Presuposiciones y lenguaje jurídico

Las presuposiciones son contenidos implícitos que son constantes y codificados: *Me llamó antes de salir* (→ 'salió'), *Ya no trabaja aquí* (→ 'trabajó aquí'), *Ha dejado de viajar* (→ 'viajaba')...

Las presuposiciones se mantienen en la interrogación y en la negación: *¿Aún sale en bici?* y *Ya no sale en bici* presuponen 'salía en bici'.

Observación:

El hablante es responsable de las presuposiciones de sus mensajes. Quien emite enunciados como *X ya no roba* o *¿Todavía X sigue haciendo trampas en el juego?* es responsable de afirmar que X robaba o que hacía trampas en el juego.

Implicaturas o sobrentendidos

Las implicaturas o sobrentendidos son sentidos no codificados que dependen de la intención del emisor y que se interpretan gracias a la capacidad inferencial de los receptores. Una secuencia como *¿Aún sigue Juan casado?* tiene un significado ('¿Sigue Juan casado?'), una presuposición como 'Juan estaba casado' y una implicatura como 'Juan no es una persona fiel en el matrimonio'.

Las implicaturas son muy comunes en la vida diaria. Cuando alguien nos dice *¿Tiene usted fuego?*, no nos hace una pregunta, sino una petición, y la respuesta *No fumo* tampoco es literal. La expresión *Ya tienes 18 años* puede ser una felicitación o un reproche por una mala conducta. Son implicaturas también las figuras de contenido: metáforas (*Mi hija es un sol*), ironías (*Es usted un genio* —con el sentido opuesto—), tautologías (*La ley es la ley*)...

Implicaturas y lenguaje jurídico

El lenguaje jurídico evita las implicaturas en la redacción de sus normas. En su redacción no caben las indirectas, las metáforas, las paradojas, las hipérboles o las ironías.

En el lenguaje forense, que juzga muchas veces problemas entre los ciudadanos, es normal que en sus textos (sentencias...) aparezcan referencias a usos no literales de expresiones en insultos, críticas, descalificaciones o bromas pesadas. Ahora bien, al no estar dichos actos formulados en expresiones literales, sino en intenciones, no es fácil demostrar la responsabilidad legal o la culpabilidad del emisor.

Observación:

Las implicaturas son contenidos variables, contextuales, no literales.

El hablante es responsable comunicativo, pero no legal, de los sentidos no codificados. Sin embargo, cuando el sentido figurado referido al color de la piel, al origen étnico, a la condición sexual... tiene valoración social negativa (el diccionario lo reconoce como despectivo), el emisor es responsable legal del insulto, desprecio...

Ambigüedad

Un mensaje es ambiguo cuando permite dos interpretaciones. En *Luis vio al filósofo paseando* hay ambigüedad porque puede interpretarse que el que paseaba es *Luis* o *el filósofo*. La ambigüedad puede tener consecuencias graves en el lenguaje jurídico y en el científico. Existen diferentes tipos de ambigüedades:

1) Las *fónicas* se manifiestan en la pronunciación, pero no en la escritura (*Oro parece, plata-no es; gente demente / gente de mente*).
2) La *ambigüedad léxica* depende de la homonimia de un término: *una historia real* ('verdadera' o 'de la realeza').
3) En las *ambigüedades sintácticas* un término puede ejercer dos funciones distintas: en *Carmen riñó con su madre porque tenía mal genio*, ¿quién tenía mal genio?; en *la defensa del presidente*, ¿este defiende o es defendido?; en *Compré un piso primero*, ¿antes de hacer otra cosa o un piso en la primera planta?...
4) En las *ambigüedades referenciales*, a una misma expresión se le pueden asignar dos o más referentes. En los textos jurídicos son frecuentes con posesivos, demostrativos, pronombres personales, reflexivos:
   - *Editores y escritores defienden sus derechos* (¿de quiénes?).
   - *Los investigados se acusan* (¿a sí mismos?, ¿entre sí?).
5) Interpretación distributiva/colectiva: *Las guías cuestan 50 €* (¿todas o cada una?).
6) Interpretación genérica/específica: *El testigo jura decir la verdad*; *El perro demuestra empatía* (¿todos o uno concreto?); *El defensor de los inmigrantes* (¿de todos o de algunos en un juicio concreto').

Recomendación:
Aunque en el proceso comunicativo del habla común interviene el contexto para deshacer dobles interpretaciones, el lenguaje judicial y administrativo, así como el científico y técnico deben evitar a toda costa cualquier tipo de ambigüedad. Cualquier descuido puede ser causa de litigio.

Vaguedad

Las palabras en el lenguaje común poseen una significación vaga cuando los límites o bordes de su clase designativa son imprecisos. Así ocurre que, cuando se trata de delimitar su contenido frente a signos opuestos, se observa en general que poseen fronteras difusas: es difícil precisar los límites entre *leña* y *madera*, *fruta* y *hortaliza*, *mamífero* y *pez* (caso de los cetáceos), *día* y *noche*, *calle* y *avenida*...

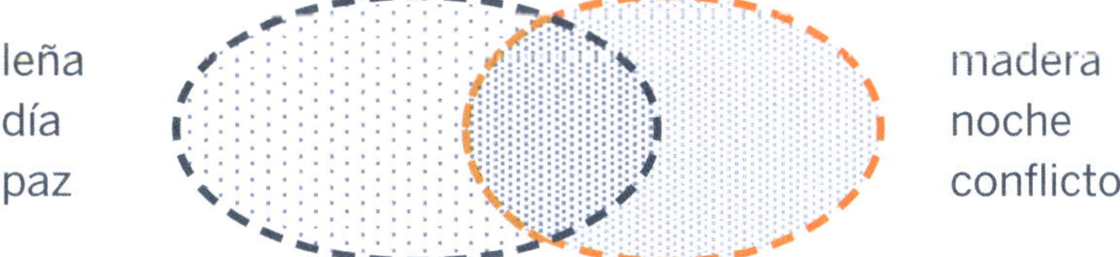

La vaguedad constituye un verdadero problema para el lenguaje científico, técnico y jurídico. En el habla cotidiana no importa que expresiones como *tercera edad*, *ruidoso, ciudad, libro*... presenten fronteras borrosas. En el habla común *persona mayor* es una expresión difícil de aquilatar en sus bordes. ¿Cuándo es mayor una persona? ¿Desde los 16 años? ¿Desde los 18? ¿Desde que vive autónomamente? Sin embargo, el lenguaje jurídico, que necesita precisión, introduce límites exactos: una persona alcanza la mayoría de edad en el mismo segundo en el que el reloj termina de dar las doce campanadas del día previo a su decimoctavo cumpleaños. Una población se convierte en ciudad cuando el último día del año el empadronamiento sobrepasa la cifra de 50 000 habitantes.

En general, en las leyes se procura evitar la vaguedad, por lo que estas fijan con precisión los límites semánticos de términos y expresiones. Debido a ello, las leyes se afanan en deslindar y definir con minuciosidad todos los conceptos de la especialidad. Es importante que se marquen bien las líneas que separan *hipoteca* de *préstamo*, *divorcio* de *separación* y *disolución de matrimonio, ciudad* de *villa*, *adopción* de *guarda* o dc *tutcla*.

Eufemismos

EUFEMISMO. Es una palabra o una expresión de connotaciones positivas y amables que sustituye a otra u otras previas, referidas a la misma realidad, pero que son ofensivas, malsonantes, desagradables o marcadas por un tabú.

DISFEMISMO. Expresión negativa, malsonante y, a veces, ofensiva, que sustituye a un término neutro para referirse a una misma realidad.

El eufemismo se basa en la cortesía, el pudor o el miedo y tiene numerosos objetivos sociales y pragmáticos dentro del discurso. Entre otros, se han señalado:

- Dignificación de minusvalías o profesiones: *persona con discapacidad* (por *minusválido*), *tercera edad* (por *vejez*), *empleada del hogar* (por *sirvienta*), *invidente* (por *ciego*)...
- Evitar referencias étnicas o sexuales: *persona de color* (por *negro*), *persona de etnia gitana* (por *gitano*), *gay* (por *[varón] homosexual*)...
- Eludir tabúes: muerte o enfermedades (*entregar el alma, sueño eterno*), partes pudendas, actos fisiológicos y acciones sexuales (*hacer el amor, acostarse*).
- Denominar procesos de connotación social negativa: *interrupción del embarazo* (por *aborto*).

Los eufemismos se construyen a partir de metáforas y otras figuras de contenido, circunloquios, cultismos, términos científicos o extranjeros...

Observación:

- Los eufemismos no cambian la realidad (*perecer* sigue siendo 'morir'), pero modifican la percepción.
- Provocan una reacción emocional más positiva que dirige comportamientos (afectos, actitudes personales y sociales...).
- Políticamente, son utilizados como formas de manipular ideológicamente a las personas.

Eufemismos y Administración

Aunque siempre han tenido repercusión en el lenguaje común, en los últimos decenios el eufemismo ha incrementado su uso y relevancia en el lenguaje jurídico y administrativo, así como en los medios de comunicación, en el lenguaje de la política, de la economía e incluso de la educación:

Administración: *persona con movilidad reducida* (por *inválido*), *vida en condiciones modestas* o *inseguridad alimentaria* (por *pobreza*), *personas con capacidades diferentes* o *personas con discapacidad* (por *discapacitados*).

Economía: *desaceleración* (por *recesión*), *reducción de personal* (por *despidos*), *déficit hídrico* (por *sequía*), *adecuación del poder adquisitivo* (por *congelación de salarios*), *actualización de precios* (por *subida de precios*), *flexibilizar el mercado laboral* (por *abaratar el despido*), *estabilización del sistema financiero* (por *ayudas a los bancos*).

Política: *conflicto armado* (por *guerra*), *establecimiento penitenciario* (por *cárcel*), *movilidad exterior* (por *fuga de cerebros*), *país en vías de desarrollo* (por *país pobre*).

Educación: *insuficiente* (por *suspenso*), *materias que no se han superado* (por *materias suspendidas*), *progresar adecuadamente*.

Eufemismos y corrección política

El movimiento de corrección política se propuso expulsar del lenguaje todo resto de racismo, de sexismo, de discriminación, de odio... Se parte del convencimiento de que la conquista de un mundo menos excluyente se logra a partir de un lenguaje inclusivo. En el lenguaje que este movimiento propone, se vetan los términos marcados y se sustituyen por neologismos.

Eufemismos y lenguaje claro

La moderna creación de neologismos en la Administración, la política y la economía se basa fundamentalmente en circunloquios que enmascaran las realidades negativas y sientan las bases de una jerga incomprensible. Estos eufemismos constituyen a veces una barrera contra el lenguaje claro.

Indeterminación

Hablamos de *indeterminación* cuando un mensaje aporta menos caudal informativo del que el interlocutor requiere o necesita. Un mensaje es indeterminado no en sí mismo, sino en comparación con la demanda informativa del interlocutor. En principio, tampoco se puede considerar como un defecto intrínseco de la lengua, sino como un incumplimiento del principio pragmático de cooperación que rige el intercambio lingüístico. En los mensajes indeterminados no hay homonimia ni ambigüedad ni vaguedad. La indeterminación es incluso externa al mensaje. Si se examina el siguiente diálogo,

A: *¿Abordarán ustedes el problema de los médicos rurales?*

B: *Seremos coherentes con nuestros principios*,

la respuesta de B no es incoherente ni ambigua, pero no proporciona la información que le reclama la pregunta. Sin embargo, el interlocutor A, que desea saber qué ocurrirá con la medicina de familia en el campo, queda insatisfecho con la respuesta de B. Y es probable que, si replantea la pregunta, hallará una nueva respuesta evasiva, indeterminada. Mensajes como los siguientes son relativamente frecuentes en carteles y anuncios: *Abierto los domingos, Se habla francés*... La persona que los lee siempre puede preguntarse: ¿estará abierto también durante la semana o solo los domingos?; ¿se habla únicamente francés o también otros idiomas? En estas situaciones, la interpretación del sentido suele hallar un aliado en el contexto.

Un caso claro de indeterminación del mensaje lo hallamos en la respuesta que los augures dieron a Craso cuando proyectaba una guerra contra el territorio persa: *Si Craso emprende la guerra contra Persia, arruinará un gran imperio.* Esta respuesta no satisfacía en modo alguno las necesidades informativas del patricio romano, interesado en la ruina del imperio persa, no del suyo.

Las expresiones indeterminadas carecen de referencialidad, y no proporcionan la información que necesita y reclama el oyente. Por eso, son enemigas del lenguaje claro.

La referencialidad, es decir, la capacidad de señalar y de mostrar cosas, procesos, cualidades... es una de las funciones esenciales del lenguaje.

Sinonimia y lenguaje claro

Sinonimia

Existe sinonimia entre dos o más expresiones léxicas, generalmente palabras, cuando tienen el mismo significado. Aunque son muy escasos los sinónimos perfectos, la sinonimia es una relación de enorme utilidad en la comunicación, pues nos permite referirnos a una misma realidad con diferentes términos. Los sinónimos pueden presentar diferencias entre sí:

a) Porque pertenecen a diferente nivel del lenguaje: *ósculo/beso, presbítero/sacerdote/cura, matrona/partera, concejal/edil, cohecho/soborno, estomatólogo/dentista, médico/matasanos, dinero/pasta, amígdalas/anginas, bocadillo/bocata, etc.*

b) Porque pertenecen a diferente zona lingüística: *pega/urraca, ciervo/venado, guisante/arvejo, acera/vereda, coche/carro, almanaque/calendario, berza/col, palangana/jofaina...*

c) Porque tienen diferentes connotaciones (individuales, sociales, culturales...): *médico/doctor, morir/fallecer...*

d) Porque tienen diferente origen: *fútbol/balompié, réferi/árbitro...*

e) Porque se distingue su significado en el uso común y en el científico.

El hecho de que muchas voces tengan más de un significado (homonimia y polisemia) es causa de que no exista sinonimia perfecta entre las palabras. Pero sí puede existir sinonimia entre acepciones de un mismo término.

- agudo-1 = afilado
- agudo-2 = inteligente
- real-1 = objetivo
- real-2 = de la realeza

Existen asimismo coincidencias parciales de significado: en uno de sus sentidos, *planta* presenta equivalencia parcial con *arbusto, hortaliza*... En otra de sus acepciones, su significado coincida parcialmente con *piso*...

Sinónimos encadenados

En el estilo forense, que tiende al énfasis expresivo, se registran con frecuencia grupos de dos términos (a veces tres) que son sinónimos o que expresan ideas afines. Es cierto que contribuyen al realce de la expresión y que dotan a la prosa de un componente rítmico singular. Sin embargo, nada aportan a la información referencial y, por otro lado, hoy se perciben como secuencias arcaicas.

Normalmente vienen unidos en yuxtaposición o en coordinación, que puede ser copulativa (*y, ni... ni...*), disyuntiva (*o, o bien*), adversativa (*pero, sino*). Se citan algunos casos frecuentes y prototípicos:

- *se personen en forma y comparezcan*
- *serán nulos y no surtirán efectos*
- *daños y perjuicios*
- *riñas o pendencias*
- *abogado o letrado*
- *actor y demandante*
- *premios, recompensas, menciones honoríficas*
- *subvenciones, auxilios o préstamos*
- *cargas y gravámenes*
- *inspección y vigilancia*
- *se cita, llama y emplaza*
- *paradero o situación*
- *debo condenar y condeno*
- *así lo pronuncio, mando y firmo*.

Recomendación:
Evitar en lo posible estas construcciones reduciendo a uno sus términos con el fin de dotar a la redacción de un estilo más natural.

Circunloquios

Un circunloquio es un «rodeo de palabras para dar a entender algo que hubiera podido expresarse más brevemente» (*DLE*). Por lo tanto, son expresiones complejas relacionadas por sinonimia con otra secuencia más simple. Los circunloquios más comunes están formados por un verbo de apoyo (casi sin contenido) más un complemento directo. Los verbos se utilizan como soporte del nombre, que es el que aporta el significado. Los más frecuentes son *dar* (*dar un rodeo*), *echar* (*echar una siesta*), *hacer* (*hacer una advertencia*), *poner* (*poner fin*), *tomar* (*tomar riesgos*), *tener* (*tener estima*) y otros.

dar la vuelta	*volver(se)*	*poner remedio*	*remediar*
dar un paseo	*pasear*	*poner una multa*	*multar*
echar el cierre	*cerrar*	*poner impedimentos*	*impedir*
hacer una llamada	*llamar*	*tomar decisiones*	*decidir*
hacer una parada	*parar*	*tener esperanzas*	*esperar*
hacer entrega	*entregar*	*tener confianza*	*confiar*

En el lenguaje jurídico este tipo de circunloquios es frecuente en exceso. Tal asiduidad hace pesado el estilo y casi siempre empobrece la expresión.

Recomendaciones:

1) Sustituir, siempre que sea posible, estos circunloquios por sus correspondientes verbos simples (los que poseen la misma raíz que el complemento directo).
2) Sustituir el verbo de apoyo por otro más preciso y selecto:
   - *dar razones* → *aducir razones*
   - *poner la radio* → *conectar la radio*
   - *tener efecto* → *surtir efecto*
   - *hacer una reunión* → *celebrar una reunión*
   - *echar una solicitud* → *presentar una solicitud*
   - *poner atención* → *prestar atención*

Redundancias

Las redundancias o pleonasmos son combinaciones superfluas de palabras en las que el significado de una parte está incluido en el de la otra. Entre ambas se da una relación de equivalencia. Informativamente, son construcciones antieconómicas y, estilísticamente, crean una sensación de insistencia machacona y de agobio.

Se registran en el lenguaje coloquial (*bajar abajo, subir arriba, salir afuera, entrar adentro, seguir detrás, soler a menudo, volver a repetir, prever con antelación...*) y también en el culto. No son infrecuentes en el lenguaje jurídico, como se observa en las siguientes secuencias:

actualmente en vigor	*en vigor*	*antecedentes previos*	*antecedentes*
divisas extranjeras	*divisas*	*colofón final*	*colofón*
falso pretexto	*pretexto*	*participación activa*	*participación*
idénticamente iguales	*iguales*	*erario público*	*erario*
total unanimidad	*unanimidad*	*testigo presencial*	*testigo*
persona humana	*persona*	*tarifa de precios*	*tarifa*

La tradición aconseja eliminar estas redundancias de contenido para conseguir un buen estilo.

Recomendación:

Evitar estas construcciones dobles eliminando el adverbio o el adjetivo redundantes y manteniendo solamente el núcleo (generalmente un nombre):

- *frecuentar a menudo* → *frecuentar*
- *idiosincrasia particular* → *idiosincrasia*
- *divisas extranjeras* → *divisas*
- *insistir reiteradamente* → *insistir*
- *hipotético supuesto* → *supuesto*
- *predecir con antelación* → *predecir*

Impropiedades léxicas

Impropiedades

Las impropiedades léxicas son violaciones o faltas que afectan al uso correcto de las palabras en alguna de sus dimensiones. Constituyen una alteración del lenguaje claro, pues suelen conducir a imprecisiones y a errores de interpretación. Las impropiedades léxicas pueden tener diferentes orígenes. Los más comunes son:

- Error en la pronunciación o la escritura del significante de una palabra.
- Atribución de un contenido equivocado a un significante léxico.
- Falsos amigos por influencia del léxico de otras lenguas.

Impropiedades en el significante

La reproducción errónea (en el habla o en la escritura) del significante de una palabra o de una expresión constituye un tipo de incorrección léxica. Tiene lugar frecuentemente cuando alguien intenta reproducir una voz que pertenece a un nivel culto o técnico que no domina. A este tipo pertenecen la mayoría de los errores léxicos de Sancho, corregidos por D. Quijote o por otros personajes de la novela: *sorbiese* (por *absolviese*), *tortolitas* (por *trogloditas*), *cananeas* (por *hacaneas*), *friscal* (por *fiscal*), *abernuncio* (por *abrenuncio*), *litado* (por *dictado*), *presonajes* (por *personajes*), *relucida* (por *reducida*), *revolcar* (por *revocar*).

Muchas confusiones derivan de la dificultad de retener términos extraños que nos llegan de la medicina o de otras disciplinas técnicas: *dotorino* por *otorrino*, *cláusulas* por *cápsulas*, *caticardia* por *taquicardia*, *tomatoma* por *hematoma*, *oscultar* (por *auscultar*), *diabetis* (por *diabetes*)...

Otros errores tienen como origen la similitud (paronomasia) entre dos voces: *ostentoso/ostentóreo*, *especie/especia*, *desternillarse/destornillarse*, *fragante/flagrante*, *infligir/infringir*, *desecar/disecar*, *candelero/candelabro*, *inerme/inerte*, *ostentar/detentar*, *adoptar/adaptar*, *accesible/asequible*, *franquía/franquicia*, *errático/erróneo*, *homónimo/homólogo*, *señalizar/señalar*, *trastocar* (por *trastrocar*), *preveer* (por *prever*), *digresión* (por *disgresión*), etc.

Impropiedades en el significado

Se asigna de forma impropia un significado a una expresión que no le corresponde: *reticente* por *reacio*, *inaudito* por *insólito*, *abigarrado* por *alborotado*, *adolecer* por *carecer*, *desapercibido* por *inadvertido*, *inerme* por *inerte*, *regresar* por *devolver*, *reiniciar* por *retomar, aplazar* por *suspender, enfrentamiento* por *confrontación* (comparación), *reeditar* por *renovar* (un triunfo), *traductor* por *intérprete*...

Falsos amigos

Otra manifestación de esta impropiedad léxica la constituyen los *falsos amigos*. Se aplica un significado extranjero a una voz parecida del castellano. Se han señalado muchos ejemplos: *doméstico* por *nacional*, *agresivo* por *enérgico*, *consistente* por *regular*, *dramático* por *drástico*, *serio* por *grave*, *actual* por *real*, *billón* por *millardo*, *carbón* por *carbono*, *librería* por *biblioteca*, *literatura* por *bibliografía, sensitivo* por *sensible, caracteres* por *personajes.* Algunos de estos usos terminan generalizándose e integrándose en los diccionarios.

Cualidades léxicas positivas

La claridad del lenguaje depende en gran parte de la riqueza y del buen uso de las palabras que empleamos. Se recomienda:

PROPIEDAD. Emplea términos que han de adecuarse al tema, a las circunstancias y a los destinatarios.

PRECISIÓN. Utiliza palabras cuyo significado refleja con exactitud las cualidades relevantes de la realidad que representa. La propiedad y precisión se hallan en relación directa con la riqueza léxica.

NATURALIDAD O LLANEZA. Usa términos que son comunes en el nivel de lengua en el que se desarrolla un discurso. Huye tanto de las palabras engoladas como de los vulgarismos

VITALIDAD. Utiliza términos vivos en el uso, no gastados ni generalizados.

Verdad y desinformación

Sé veraz

Una de las máximas del principio de comunicación prescribe la veracidad en los mensajes: «Sé veraz». Existen ámbitos en los que este principio ético y comunicativo alcanza niveles de gran responsabilidad: en justicia, en política, en salud y en periodismo. También en la ciencia. En los actos judiciales el compromiso a decir la verdad, toda la verdad y solo la verdad es sellado con promesa o juramento. En política, la veracidad de las promesas, de los razonamientos y de las justificaciones es un compromiso de trascendencia social. Por otro lado, se espera objetividad de quien ha asumido como profesión su papel de informar. En el lado opuesto del hilo comunicativo, a los ciudadanos les asiste el derecho a reclamar la verdad que esperan.

Desinformación y posverdad

Desinformación no significa carencia de información, sino información falsificada y deformada intencionalmente con el fin de manipular la opinión pública en favor de intereses económicos, políticos y sociales. Siempre han existido violaciones de la verdad, pero el ciudadano nunca se ha visto tan expuesto a la fabricación y divulgación sistemáticas de bulos, de falsedades, e incluso de mentiras desmesuradas o profundas. Se difunden noticias no verificadas y sin soporte fiable como verdades absolutas. Se ha acuñado un nuevo término, la *posverdad*, que no concede tanta importancia a la veracidad y la objetividad como a una distorsión informativa «que manipula creencias y emociones con el fin de influir en la opinión pública y en actitudes sociales» (*DLE*).

Redes sociales

La difusión de los bulos, de las creencias acientíficas (aun cuando afectan a la salud) alcanzan a través de las redes sociales una velocidad y un alcance sin precedentes. Los creadores de desinformación suelen ser personas u organismos interesados que se ayudan de plataformas y bots para viralizar y adecuar sus mensajes a un público seleccionado con el fin de crear o reforzar estados de opinión.

Desinformación, libertad y democracia

La desinformación programada influye en opiniones y actitudes de tal manera que condiciona la conducta y las decisiones de personas y de grupos. Orienta el pensamiento y actitudes hacia convicciones programadas externamente, anula la libertad de los individuos, menoscaba los derechos de las personas y desencadena tal repercusión en las masas sociales que pone en peligro el funcionamiento y la estabilidad de las democracias. La historia reciente nos ofrece casos graves en los que la desinformación ha influido de forma decisiva en actuaciones políticas (Brexit, guerra de Irak, algunas elecciones…), opiniones científicas (*terraplanismo*), intoxicación mediante consejos sanitarios falsos (*infodemia*)…

Causas de la difusión

El bombardeo ejercido por plataformas y algoritmos multiplica una misma noticia falsa desde miles de fuentes creando una sensación, infundada pero real, de seguridad. El *principio de verdad ilusoria* nos lleva a considerar cierta una noticia que se escucha de forma repetida. Apoya el aforismo de Goebels («una mentira dicha mil veces se convierte en verdad»).

Existen otras razones cognitivas: los bulos virales son mensajes muy simples que no provocan disonancia mental y crean una «burbuja narrativa» que libera a la gente de incertidumbres y angustias ante situaciones críticas: pandemias, crisis, guerras… Dicen lo que la gente necesita oír ofreciendo soluciones fáciles a problemas difíciles.

Actuaciones

Contra estos procesos de desinformación se han de adoptar iniciativas colectivas e individuales. Los organismos internacionales y nacionales, conscientes de la gravedad del problema, deben dictar resoluciones eficaces, crear organismos de detección de bulos, medios de verificación y de información, denunciar y castigar redes y medios sutiles de propaganda… Se ha de fortalecer asimismo el periodismo independiente y la formación crítica del ciudadano.

IV.5

Ortografía

Lo breve, si bueno, dos veces bueno;
y aun lo malo, si poco, no tan malo.

(Baltasar Gracián, *Oráculo manual y arte de prudencia*, § 105)

Ortografía del español y claridad

La ortografía es la disciplina lingüística que estudia y determina la escritura correcta. Es de gran importancia para el lenguaje claro, pues su buen uso interviene positivamente no solo en la facilidad de comprensión (*lecturabilidad*), sino también en la *legibilidad* de los textos.

La ortografía está formada por varios sistemas, que establecen las normas de la buena escritura:

- Representación gráfica de los sonidos. Determina la correspondencia entre sonidos y letras. Es el sistema más antiguo e importante (con él nace la escritura alfabética). A diferencia de otras lenguas cercanas (inglés, francés...), la ortografía del español en este aspecto es mucho más simple, hecho que favorece la claridad. Sin embargo, exige un dominio pleno.
- Puntuación. Refleja relaciones sintácticas, modalidades de enunciados, evita ambigüedades y marca límites de párrafos y de textos. Es de enorme importancia para la interpretación correcta de la sintaxis, así como para la entonación apropiada. Favorece la claridad.
- Acentuación. A diferencia de otras lenguas, el sistema de reglas de uso de la tilde del español permite determinar con precisión casi absoluta la posición del acento tónico. La aplicación de estas reglas aporta claridad y seguridad a la lectura y, muchas veces, evita ambigüedades.
- Minúsculas y mayúsculas. La moderna ortografía limita los usos y funciones de las letras mayúsculas: nombres propios, inicio de enunciados... Se ajusta a reglas concretas.
- Abreviaciones. Fija las reglas que determinan como escribir las abreviaturas (*págs., etc., a. C.*), símbolos alfabetizables (*l, m, Ca*), acortamientos (*cole, Feli*).
- Unidades simples y complejas. Determina la escritura de palabras prefijadas y compuestas (*ex capitán general, exdirector, super-8, árabe-israelí, arcoíris...*).
- Expresiones numéricas. Fija la escritura de la numeración arábiga (*20*), romana (*XX*), decimales, etc.
- Extranjerismos. Establece las formas y las normas de la incorporación de palabras de otras lenguas al español: *balompié, fútbol, rascacielos, ballet, hardware...*

Acentuación

Diptongos y triptongos

Forman diptongo ortográfico:

- Vocal /a/, /e/, /o/ seguida o precedida de /i/, /u/ átonas.
- La secuencia *iu, ui*: *jesuita, ruido, viudo, Piura...*

Por lo tanto, con independencia de cómo se articulen en el habla, son monosílabos y no se acentúan *guion, truhan, crie, fio, rio, liais, riais, hui, Sion...*

Forman hiato ortográfico:

- Dos vocales abiertas (/a/, /e/, /o/) seguidas: *aorta, peor, cae...*
- Vocal /i/, /u/ tónica antepuesta o pospuesta a vocal abierta (/a/, /e/, /o/): *río, leí, tenía, oído, reúma, aúpa, búho, rúa...*
- Dos vocales iguales: *chiita* (trisílaba llana), *chií* (bisílaba aguda).

Forma triptongo:

- La secuencia «vocal cerrada (/i/, /u/) + vocal abierta (/a/, /e/, /o/) + vocal cerrada». Se acentúan según las reglas generales: *guau, buey, Paraguay, limpiáis...*

Tilde diacrítica

Diferencia algunas palabras tónicas de otras átonas con idéntica escritura:

- Monosílabos tónicos/átonos: *él/el, tú/tu, dé/de, sé/se, sí/si, mí/mi...*
- Interrogativos/relativos átonos: *qué/que, quién/quien, dónde/donde...*
- En los demostrativos *este, ese, aquel* y la palabra *solo* (adjetivo/adverbio), la *Ortografía* permite «prescindir de la tilde [...] incluso en casos de ambigüedad».

Mayúsculas

Las letras mayúsculas llevarán tilde si así lo determinan las reglas generales: *Ángel, Úrsula, Íñigo...*

Mayúsculas

Funciones de la mayúscula inicial:

- Marca el inicio de enunciados, párrafos y otras unidades del texto: *En un lugar de la Mancha...*
- Señala y delimita los nombres propios: *María Suárez*, *Buenos Aires*.
- En las siglas y números romanos normalmente se escriben todas las letras en mayúscula.

> Observación:
> No es función de las letras mayúsculas indicar respeto, relevancia, dignidad de las personas o de ciertas realidades: *rey, presidente, papa, misa, director, humanidad, universo, naturaleza*, *cosmos, creación...*

Mayúsculas en textos jurídicos y administrativos

- Sustantivos como *tribunal*, *juzgado*, *audiencia*, *ayuntamiento*, *diputación*, *universidad*, *facultad*, *consejería*, *parlamento*... se escriben con minúscula cuando se comportan como nombres comunes: *un juzgado de Madrid, los ayuntamientos de estas comunidades, las universidades públicas, las academias*... Se escriben con mayúscula cuando forman parte del nombre oficial de un organismo: el *Tribunal Supremo*, *el Tribunal Tutelar de Menores.* También se escriben con mayúscula como mención abreviada del nombre oficial complejo: *la Audiencia* (por *la Audiencia Nacional*), *la Academia* (por *la Real Academia Española*).
- Los nombres que designan tipos de textos jurídicos se escriben con minúscula (*ley, decreto, real decreto, sentencia, resolución, auto, encíclica,* etc.): *dicho real decreto*, *la ley de educación*... Solo se escriben con mayúscula como integrantes del título oficial: *Ley Orgánica por la que se modifica la Ley Orgánica de Educación* (*LOMLOE*).
- Los nombres de las disciplinas se escriben con minúscula (*derecho romano, filología inglesa, ciencias naturales, física*...), excepto como integrantes del nombre propio de una asignatura: *Aprobó Derecho Romano, Se matriculó en Historia de la Lengua*.

Mayúsculas en nombres propios

Se escriben con mayúscula los nombres propios de personas o de personajes (Juan Ruiz, *Caperucita Roja*), de dinastías (*los Austrias*), los apodos (*el Greco*), los nombres de deidades (*Alá*), de seres mitológicos (*Polifemo*), de cuerpos celestes (*Osa Mayor*), de tormentas, huracanes y fenómenos atmosféricos (*el Niño*), de accidentes geográficos (pero no el genérico que los acompaña: *el cabo de Hornos*; por antonomasia, el genérico puede ir con mayúscula: *la Península* por *la península de Yucatán*), de zonas geográficas extensas (*Cono Sur;* pero no las denominaciones no geográficas: *zona euro*); los nombres de barrios, calles... (pero no el nombre común que los precede*: la calle Mayor, la avenida Libertadores*), instituciones (*Ministerio de Asuntos Exteriores, Biblioteca Nacional*), monumentos (*la Casa Rosada*), establecimientos (*El Corte Inglés, Hotel Central*); los sustantivos que designan entidades de carácter institucional (*el Gobierno, el Estado, la Iglesia, la Policía* —pero *lo detuvo la policía*—); las denominaciones de publicaciones, premios (pero no las personas premiadas: el *Nobel / el nobel*), periodos históricos (*el Paleolítico*), etc.

El artículo en los nombres propios

El artículo forma parte del nombre propio y se escribe con mayúscula cuando se le puede anteponer un determinante o un adjetivo: *nuestra añorada Las Palmas*, *el moderno El Cairo...*

El artículo no pertenece al nombre propio y se escribe con minúscula cuando es opcional (*el Perú, el Ecuador, la China...*) o permite interpolar un adjetivo (*el caudaloso Amazonas*) o un término genérico (*el océano Pacífico*).

Nombres propios utilizados como comunes

Se escriben con minúscula los nombres comunes derivados de nombres propios: arquetipos (*celestina, tartufo*), unidades de medida, artefactos, enfermedades (*newton*, *diésel*, *párkinson* —pero *el mal de Parkinson*—), vinos (*un rioja*), razas caninas (*un chihuahua*) y muchos nombres de marcas comerciales (*maicena...*).

Puntuación

Los signos ortográficos (puntuación, diacríticos y auxiliares) contribuyen a la interpretación correcta del discurso escrito. Su aportación es determinante para conseguir la claridad de los mensajes. Los signos de puntuación (punto, coma, punto y coma, dos puntos, puntos suspensivos, paréntesis, corchetes, raya, comillas, signos interrogativos y exclamativos) desempeñan las siguientes funciones:

- Señalan las fronteras de grupos sintácticos o de enunciados (coma, punto, punto y coma, dos puntos...).
- Expresan su modalidad (aserción, interrogación, exclamación...).

El PUNTO cierra un enunciado (punto y seguido), un párrafo (punto y aparte) o un texto (punto final). En algunos casos (títulos, eslóganes...) no se escribe. Nunca se escribe punto antes de las comillas de cierre.

La COMA delimita segmentos en el interior del enunciado:

- Marca la diferencia entre construcciones especificativas y explicativas: *Mi tío Paco me llamó. / Mi tío, Paco, me llamó; Los defensas lesionados no jugarán. / Los defensas, lesionados, no jugarán*.
- Encapsula los incisos y las interjecciones.
- Delimita las construcciones absolutas (*Terminada la clase, nos fuimos*).
- Separa el vocativo del resto del enunciado (*Juan, ayuda a la abuela*).
- Aísla los conectores de discurso (*Sin embargo, confía en él*).
- En yuxtaposiciones y coordinaciones, separa los elementos que no vienen unidos por conjunción (*Acude, corre, vuela*...).
- Separa los complementos que afectan a toda la oración.
- Señala elipsis del verbo: *Papá es profesor y mamá, arquitecta*.

> Recordatorio:
> La coma no separa el verbo del sujeto, del complemento directo, del complemento indirecto, del atributo o de los circunstanciales pospuestos.

PUNTO Y COMA. Es un signo de alcance menor que el punto y mayor que la coma. Delimita oraciones yuxtapuestas y coordinadas que se oponen, así como segmentos que incluyen comas en su interior.

DOS PUNTOS. Separan en el enunciado segmentos que explican algo. En las enumeraciones, separan el término genérico de la lista de elementos que lo explicitan. Introducen el estilo directo (*Dijo: «No sé nada»*). Separan el saludo o la presentación en cartas y documentos (*Querida Inés: ...; CERTIFICA: ...*).

PUNTOS SUSPENSIVOS. Señalan elipsis, generalmente en la parte final de un enunciado, de una enumeración.

PARÉNTESIS Y CORCHETES. Son signos dobles que encierran comentarios, incisos, elementos intercalados. Aportan claridad porque favorecen el hilo de la lectura. Pueden incluir enunciados, numeraciones e incluso puntos suspensivos.

RAYA (—). Como signo simple introduce la intervención literal de un hablante en un diálogo. Como signo doble incorpora incisos o el comentario del narrador o transcriptor del estilo directo: *Eso —respondió— no es justo*.

COMILLAS. Son signos dobles de tres tipos (por orden de preferencia): latinas o españolas (« »), inglesas (" ") y simples (' '). Enmarcan citas textuales y segmentos en estilo directo (*Gritó: «Manuel, Manuel»*), usos metalingüísticos si no es posible la cursiva (*la palabra «mesa»*), títulos de artículos («El hambre»).

INTERROGACIÓN Y EXCLAMACIÓN. Introducen enunciados interrogativos y exclamativos independientes (*¿Cuántos hermanos sois?*; *¡Estupendo!*).

Recordatorio:

- En español es obligatorio abrir la interrogación y la exclamación.
- Las expresiones iniciales separadas por pausas quedan fuera de estos signos: *En serio, ¿quién lo dijo?; A pesar de todo, ¡sobrevivieron!*
- Pueden coincidir para expresar énfasis: *¿¡Tú!?, ¡¡¡Qué rabia!!!*

Prefijos

Escritura de los prefijos

Se escriben unidos a la base cuando esta consta de una sola palabra (*exdirector, antidroga*); separados cuando la base está formada por varias palabras (*ex director general, anti pena de muerte*); y con guion si la base es una palabra escrita con mayúscula o un número (*pos-Gorbachov, mini-USB, super-8*).

Prefijo	Base univerbal	Base pluriverbal
anti-	*antiviolencia*	*anti pena de muerte*
pro-	*prorreferéndum*	*pro Seguridad Social*
vice-	*viceministro*	*vice primer ministro*
super-	*superintendente*	*super teniente coronel*
pre-	*precampaña*	*pre Guerra Civil*
ex-	*exfuncionario*	*ex alto cargo*

Prefijo *ex-*

- Tradicionalmente se escribía separado (*ex ministro, ex novio*) porque se consideraba una preposición.
- La *Ortografía* (2010) asimila su escritura a la de los demás prefijos.

Escritura de los prefijos

- La referencia a prefijos aislados se escribe con guion*: anti-, pro-, super-, contra-, vice-*.
- Los prefijos nunca llevan tilde. Sí la pueden llevar cuando no son prefijos, sino sustantivos, adjetivos o adverbios: *un súper, gasolina súper, Lo pasamos súper.*
- Los prefijos unidos a números o a palabras que comienzan por mayúscula llevan guion: *anti-Trump, pro-Obama, sub-21...*

Extranjerismos

Los extranjerismos son palabras o expresiones que llegan a una lengua desde otros idiomas del presente o del pasado. Se utilizan normalmente para nombrar realidades nuevas para las que la propia lengua no tiene un término apropiado. El uso indiscriminado de extranjerismos puede afectar a la claridad del lenguaje.

Tratamiento de los extranjerismos

Normalmente se aplicará alguno de los siguientes procedimientos, según convenga:

SUSTITUCIÓN. Si en la lengua propia (en este caso el español) existe una voz con el mismo significado, se ha de promover esta frente a la voz extranjera. Por ejemplo, *resumen* (frente a *abstract*), *correo* (frente a *mail*), *inalámbrico* (frente a *wireless*), *herramientas* (frente a *tools*), *contraseña* (frente a *password*).

EQUIVALENCIA. Se usa un equivalente en la lengua propia al que se añade el nuevo sentido: *ratón* (por *mouse*), *programa* (por *program*), *red* (por *net*).

CALCOS. Reflejan en la lengua propia la estructura de la voz extranjera originaria: *balompié* (*football*), *balonmano* (*handball*), *autoservicio* (*self-service*), *fin de semana* (*weekend*), *cazatalentos* (*headhunter*).

ADOPCIÓN. Se adopta la palabra extranjera sin ningún cambio porque no necesita adecuar ni su pronunciación ni su grafía a las reglas ortográficas del español: *clip, web, chip, fax, set, blog, box*.

ADAPTACIÓN. Se ajusta la escritura o la pronunciación para cumplir con las reglas de la ortografía:

- Al sistema acentual: *dólar*, *récord*, *plácet*, *ambigú*, *ómnibus*.
- A la pronunciación: *fútbol, béisbol, champú, gol, líder, suéter, baipás*, *restorán, crupier, trol*...
- A la escritura: *puzle*, *wifi*, *restaurante, quiche*...

En todos estos casos, se escriben en letra redonda.

Extranjerismos crudos

Son las palabras extranjeras que se usan en la lengua propia con la grafía y la pronunciación de su lengua de origen sin que estas se ajusten al sistema ortográfico del español. Cuando su uso está generalizado, se incorporan al *DLE*. Se escriben con resalte tipográfico (normalmente en letra cursiva): *affaire, look, baguette, ballet, best seller, collage, clown, copyright, flash, hobby, jazz, light, mousse, sheriff, software*.

> Es posible y recomendable:
>
> - Buscar alternativas a los extranjerismos crudos siguiendo alguno de los procedimientos descritos anteriormente.
> - Utilizar la adaptación de un extranjerismo aunque aún no haya sido recogida en el diccionario. Esto permite que las adaptaciones se incorporen al caudal léxico de nuestra lengua y evita la creación de híbridos ortográficos.

Híbridos ortográficos

Los híbridos ortográficos son palabras formadas con una raíz extranjera y un afijo del español, típicamente un sufijo: *look-azo*, *google-ar*, *hacke-ar*, *jazz-ístico, ballet-ístico, croissant-ería, screen-ear*... Los híbridos son «monstruos» ortográficos.

> Recomendación:
>
> Evitar los híbridos ortográficos, pues estas combinaciones implican una contradicción. Para conseguirlo se aconseja:
>
> - Adaptar la base léxica a la ortografía del español. Así ha ocurrido en:
>   - *hacker* > *jáquer* > *jaquetístico*,
>   - *troll* > *trol* > *trolear*,
>   - *glamour* > *glamur* > *glamuroso*.
>
> Partir de la base léxica que correspondería a la adaptación del extranjerismo, como en *tour* > (*tur*) > *turismo*, *turístico*.

Claridad y discurso oral

Discurso oral

La comunicación hablada es la primera manifestación del lenguaje. La conversación constituye su expresión más natural. Existen manifestaciones del habla más formales y más pautadas que adquieren relevancia en el mundo jurídico y administrativo, en la comunicación, en la empresa, la ciencia, la cultura, el ocio, la publicidad... Estas peculiaridades de expresión oral han de guiarse asimismo por la claridad y los demás principios de la comunicación.

Claridad fónica

Recomendaciones:

- Evitar elisiones no cultas de consonantes (*quedao*, *llegao*, *partío*..., *verdá*, *poblema*), relajaciones (*pos*, *pa*, *pa que*... *correto*..., *decenso*, *acensor*...) o confusiones con palabras semejantes (*proveer*...).
- Articular correctamente todos los sonidos, poniendo atención en las palabras más largas y complejas.
- Adoptar un ritmo de exposición adecuado (ni muy lento ni muy rápido) y natural.
- Realizar las inflexiones interiores necesarias, articular adecuadamente la entonación de las modalidades (interrogativa, exclamativa) y no relajar la dicción al final.
- Realizar pausas perceptibles en los puntos para evitar el encabalgamiento de los enunciados y de los párrafos.
- Articular los mensajes con un volumen apropiado al auditorio con el fin de que todos los interlocutores perciban con claridad el mensaje.
- Realzar fónicamente las palabras o expresiones que deseamos subrayar.
- Evitar expresiones fónicas de transición o espera (*eeeh*, *aaah*...).

Corrección gramatical

Recomendaciones para el lenguaje oral:

- Evitar el infinitivo imperativo: *Salir inmediatamente*.
- Evitar los infinitivos narrativos: Y *ahora decirles que todo está solucionado.*
- Desterrar las formas verbales incorrectas: *vinistes, quisistes, andé...*
- Evitar las concordancias anómalas: *ese aula, las miles de personas...*
- Sustituir posesivos con adverbios por construcciones preposicionales: *detrás mía (detrás de mí) encima mío (encima de mí)...*
- Evitar leísmos y laísmos: *Les convenció, La dije esto...*
- Corregir queísmos, dequeísmos, quesuismos...
- Evitar el abuso de construcciones relativas con *lo que, lo cual, el cual...*
- Evitar el uso excesivo de conectores repetidos.

Claridad y corrección léxica

Recomendaciones para el lenguaje oral:

- Utilizar léxico de un nivel adecuado a la situación y a los interlocutores.
- Emplear expresiones naturales, vivas en el uso y fáciles de entender.
- Explicar los términos y expresiones de difícil comprensión.
- En el lado opuesto, evitar la pobreza léxica, pues arruina la precisión y la exactitud.
- Corregir el uso de muletillas y expresiones gastadas, pues nada aportan y rompen el curso de la intervención.
- Sustituir las palabras baúl (*cosa*, *tema*, *rollo*...) y verbos comodines (*hacer, decir, dar*...) por secuencias más precisas.
- Acudir a sinónimos o perífrasis equivalentes para evitar repeticiones.
- Evitar el uso de extranjerismos no necesarios, especialmente si no se comprenden.
- Consultar en el diccionario las voces cuyo significado se desconoce.

Claridad en el discurso oral

La claridad de las intervenciones orales, especialmente cuando son largas, depende del orden de su estructura, de la jerarquía de sus partes, de su adecuación externa e interna.

> Recomendaciones:
>
> - Elegir el tema bien determinado y fijar claramente sus límites.
> - Jerarquizar las ideas, separando lo básico de lo accesorio.
> - Adecuarse a la forma discursiva elegida (narración, descripción, exposición).
> - Enumerar en el inicio el tema, el propósito y el esquema que se sigue.

Comunicación no verbal

En los intercambios orales cobra mucha importancia la comunicación no verbal. Los movimientos de manos y cabeza (*kinésica*) y la posición corporal (*proxémica*) transmiten actitudes del hablante (también del oyente) y, a veces, llegan a alterar contextualmente el valor de palabras y enunciados (un guiño puede indicar un sentido irónico).

> Recomendaciones:
>
> - Procurar una expresión natural del rostro evitando expresiones extremas en los gestos, en la risa...
> - Mirar al rostro del interlocutor (indica cercanía, confianza, seguridad...), evitando una mirada huidiza (muestra desconfianza) o bajar los ojos hacia el suelo (timidez).
> - Reforzar nuestros mensajes con movimientos armónicos de nuestras manos. Algunos actos de habla (saludos, despedidas, felicitaciones) se acompañan normalmente de apretones o movimientos de manos o abrazos.
> - Evitar tanto las posturas corporales rígidas (indican tensión) o muy relajadas.
> - Mantener la distancia corporal adecuada a los hábitos culturales y a la situación.
> - Llevar una vestimenta adecuada a la situación.

V

Comunicación accesible

El acceso a la comunicación en su sentido más amplio es el acceso al conocimiento, y eso es de importancia vital para nosotros. No queremos continuar siendo despreciados o protegidos por personas videntes compasivas. No necesitamos piedad ni que nos recuerden que somos vulnerables. Tenemos que ser tratados como iguales y la comunicación es el medio por el que podemos conseguirlo.

(Louis Braille)

Accesibilidad

La *accesibilidad* nació como proyecto pensado para salvar los impedimentos que encuentran las personas con discapacidad en el desarrollo autónomo de sus actividades. En un primer estadio, se focalizó su interés en la superación de las barreras físicas en las edificaciones; pero, con el paso del tiempo, su ideario se fue extendiendo hacia otros ámbitos (urbano, comunicativo, educativo, lúdico, turístico, etc.). La idea fundacional de *accesibilidad* se articuló pronto como derecho. Los individuos con discapacidad son personas con plenos derechos y han de disfrutar de las mismas posibilidades de acceso que los demás.

Entre las personas con discapacidad permanente se incluyen las que están afectadas por limitaciones físicas, sensoriales (especialmente, vista y oído), motoras, cognitivas, intelectuales, comunicativas, lingüísticas... Existen asimismo barreras de accesibilidad social para otros sectores: ancianos, mujeres, niños, jóvenes, inmigrantes, personas en paro o con enfermedades que producen rechazo (SIDA...), etc.

Todas las personas afectadas por cualquier limitación tienen pleno derecho, en cuanto personas, a disfrutar de igualdad de oportunidades, visibilidad social, ausencia de discriminación... Si la accesibilidad es un derecho de las personas con discapacidad, cualquier tipo de barrera constituye un factor de discriminación. La sociedad, los poderes públicos, las instituciones, las empresas y también los profesionales ligados al diseño y a la producción de espacios y de productos afectados por esta dimensión están obligados a asumir la responsabilidad de crear un mundo accesible.

El objetivo último es conseguir que todos puedan alcanzar el ideal de una *vida autónoma e independiente*. No significa otra cosa que la capacidad de decidir, de elegir la forma de planificar, organizar su presente y su futuro con las mismas libertades y trabas que todos los demás.

Accesibilidad para todos

Los diseños de accesibilidad para personas con discapacidades se transformaron en diseños de accesibilidad para todos (universal) porque una gran mayoría de la población atraviesa periodos de discapacidad transitoria: infancia, tercera edad, embarazos, accidentes, operaciones, enfermedades... Durante estos periodos se encuentran en una situación de dependencia y sufren problemas semejantes a los de las personas con discapacidad. El diseño universal beneficia a la totalidad de la población, pues

- es imprescindible para un 10 %,
- es necesario para un 40 %,
- es confortable para el 100 %.

El gasto en accesibilidad universal es una inversión fructífera, ya que crea retorno positivo en numerosos ámbitos: en el personal y en el social, en el conocimiento y en la economía, en la arquitectura y en los transportes, en la urbanización y en la ecología, en las nuevas tecnologías y en la cultura, en el juego y en el trabajo... Y en todos los sectores: edificación, urbanismo, transportes, fabricación, espacios sociales, espacios naturales, medios de comunicación, nuevas tecnologías, localización y orientación, medicina, alimentación, turismo, etc.

La accesibilidad para todos es una apuesta de futuro que conjuga la inversión, la creatividad y la ética social. En este reto se hallan implicados dirigentes políticos, actores sociales, fundaciones, los profesionales del diseño, gestores empresariales....

La accesibilidad universal se ampara en la Declaración Universal de los Derechos Humanos de la ONU, que defiende el derecho a la igualdad para todas las personas. La accesibilidad universal se define como «la condición que deben cumplir los entornos, procesos, bienes, productos y servicios, así como los objetos o instrumentos, herramientas y dispositivos, para ser comprensibles, utilizables y practicables por todas las personas en condiciones de seguridad y comodidad y de la forma más autónoma y natural posible» (LIONDAU, Ley 51/2003, de 2 de diciembre, de igualdad de oportunidades, no discriminación y accesibilidad universal de las personas con discapacidad).

Principios del diseño para todos

El *diseño universal* proyecta desde el origen entornos, procesos, bienes, productos, servicios, objetos, instrumentos, dispositivos, herramientas... para conseguir que puedan ser utilizados con eficacia, utilidad y comodidad por toda la ciudadanía. La aparición del proyecto de diseño universal representó un cambio de paradigma. No se focaliza en las personas con discapacidad; se guía por el lema «utilidad para todos». Para conseguirlo, se persigue simplificar y facilitar las tareas cotidianas diseñando productos, servicios y entornos que sean accesibles, útiles y cómodos para el conjunto de los ciudadanos. Ronald Mace (1997) formuló siete principios del diseño para todos o diseño universal:

Principios

USO EQUITATIVO. Los bienes han de ser diseñados para conseguir un uso universal, igual para todos: niños, mayores, mujeres...

FLEXIBILIDAD EN EL USO. El diseño se adapta a las destrezas y al ritmo de cada persona. Por ejemplo, para zurdos y diestros.

USO SIMPLE E INTUITIVO. El diseño facilita la comprensión y el uso por parte de individuos sin experiencia. Por ejemplo, un robot de cocina.

INFORMACIÓN PERCEPTIBLE. Para conseguir esto, se utilizan diferentes medios (verbal, gráfico, táctil, visual...) y un diseño claro y ordenado que permita una rápida comprensión.

TOLERANCIA AL ERROR O MAL USO. El diseño incorpora mecanismos para minimizar las consecuencias de los errores... Proporciona medios de corrección.

BAJO ESFUERZO FÍSICO. La realización de tareas es cómoda, tanto desde el punto de vista corporal como mental. Minimiza las acciones repetidas y los esfuerzos físicos continuados.

ESPACIO SUFICIENTE DE APROXIMACIÓN Y USO. El tamaño ha de ser el adecuado para la aproximación, el alcance, la manipulación y el uso por parte de todo tipo de usuarios.

Usabilidad

El diseño para todos se halla en relación con otro concepto moderno: la usabilidad.

> La usabilidad es el grado de simplicidad, facilidad de uso, efectividad, economía y satisfacción que presta un producto a un usuario en la realización de sus tareas. Persigue conseguir con un mínimo esfuerzo un máximo de resultados.

Esta noción apareció en ámbitos tecnológicos e informáticos, pero se ha extendido para valorar todo tipo de artefactos con los que interactúan las personas, desde un electrodoméstico hasta un libro. La usabilidad de los textos se halla en estrecha relación con el diseño universal y el lenguaje claro.

Ventajas:

- Efectividad en el pleno alcance de los objetivos.
- Eficiencia en la relación entre los recursos (económicos, tiempo, esfuerzo...) y los resultados conseguidos.
- Satisfacción subjetiva derivada del alcance de los propósitos y del cómodo uso de los medios empleados.
- Sencillez en la interacción del hombre y el producto, sea tecnológico o digital.
- Seguridad del usuario en todos los eslabones del proceso.
- Rapidez en la ejecución.
- Confianza del usuario en los medios y en el proceso.
- Fácil aprendizaje y acceso, tanto en el uso común como en tareas difíciles.
- Carácter intuitivo, abierto a la creatividad.
- Flexibilidad en el ofrecimiento de distintas opciones y posibilidades.

Todas estas características se resumen en una: funcionalidad.

Lecturabilidad y lenguaje claro

La lecturabilidad mide las propiedades de un texto que facilitan su comprensión. Se halla en relación con la claridad de su redacción (dificultad léxica, longitud y complejidad de su sintaxis, orden estilístico, claridad de ideas, profundidad de razonamiento, coherencia y cohesión textual, puntuación...). *Lecturabilidad* y *lenguaje claro* son expresiones utilizadas en diferentes ámbitos, pero muy cercanas.

Legibilidad

La legibilidad se define como el grado de facilidad lectora que ofrece un texto. Frente a la lecturabilidad, que reside en las propiedades lingüísticas del texto, la legibilidad se halla en relación con las propiedades físicas de su diseño gráfico, especialmente las visuales (tipografía, color, esquemas).

Recursos visuales de legibilidad

Los recursos de legibilidad tienen como funciones llamar la atención, atraer la mirada, facilitar la lectura formal del texto y su comprensión semántica, evitar el cansancio, estimular su fijación y recuerdo y, en resumen, hacer que la lectura sea exitosa. Veamos a continuación los factores más importantes.

Color y luminosidad

Son los primeros factores que fijan la atención. Se perciben de forma pasiva en un estadio previo a la lectura. Factores importantes en la percepción del color son la relación fondo-forma y también los contrastes y las combinaciones de colores. Se aconseja no utilizar más de siete colores cercanos a los primarios y evitar coloraturas brillantes. Aparte del valor estético, el color puede actuar como resalte del contenido.

Color y luminosidad tienen una importancia grande para el diseño de señales de orientación. Un factor relevante en el nivel de percepción del color es el contraste entre fondo y figura. La jerarquización cromática también se considera relevante.

Contraste

Es un factor importante en la legibilidad. Se manifiesta sobre todo en la tipografía y en el color. Los contrastes de color más perceptibles son negro sobre blanco, negro sobre amarillo, rojo sobre blanco, blanco sobre azul, verde sobre blanco, blanco sobre rojo, amarillo sobre negro, blanco sobre verde.

Tipografía

Determina la forma, el tipo (mayúsculas, minúsculas, cursivas...), el tamaño (medido en puntos), el grosor y la separación de las letras, el interlineado... Algunas características tipográficas facilitan la lectura.

Características recomendadas:

Forma. Son más legibles los tipos sin serifa (Arial, Calibri...). El grosor ha de ser normal y las cursivas se reservan para los resaltes.
Tipo. Son más legibles las minúsculas redondas.
Cuerpo. Se aconseja una letra de entre 13 y 16 puntos.
Línea. Justificación solo a la izquierda: crea homogeneidad en la distancia de los caracteres.
Soporte. Papel mate (el brillo dificulta la lectura).
Párrafos. Cortos y separados por interlineado.
Títulos. Visibles y jerarquizados.

Esquemas gráficos

Los esquemas gráficos bien diseñados aportan una información gráfica intuitiva en la que se observan en un golpe de vista las relaciones entre los diferentes ítems de un sistema. Aparte de la facilidad de lectura, introducen asimismo una imagen visual que facilita la comprensión y favorece la memorización. Son muy importantes para el lenguaje claro.

Comunicación y accesibilidad espacial

La orientación accesible en los espacios, tanto abiertos como cerrados, se ha convertido en una necesidad ineludible para todos los ciudadanos. Los antiguos mapas y planos fueron perfeccionados con sistemas de señalización (*siñalética*), y ampliados por los sistemas de orientación en los espacios (*wayfinding*). Se ha desarrollado especialmente para lugares amplios y concurridos, donde la movilidad es grande, el tiempo de acceso es limitado y las consecuencias de la desorientación son graves: estaciones de trenes y autobuses, aeropuertos, hospitales y centros de salud, grandes edificios de empresas, universidades, museos, lugares de entretenimiento, etc.

La orientación en los espacios se guía por los principios del diseño para todos, con el fin de que todas las personas sean capaces de trasladarse a su destino de forma segura y con autonomía personal. Un buen diseño facilita la accesibilidad, evita los errores, reduce costes y pérdidas de tiempo, minimiza la preocupación y el estrés, aumenta la seguridad y satisfacción del ciudadano, entre otros beneficios.

Los sistemas de orientación en los espacios utilizan todo tipo de recursos comunicativos que permitan al ciudadano informarse de su ubicación, así como tomar decisiones eficientes y seguras sobre la ruta adecuada:

- Mensajes lingüísticos. Los carteles escritos han de ser muy breves, de tamaño relevante, ubicados en puntos de gran visibilidad, con buen contraste cromático y tipografía de fácil percepción. Han de ser reiterativos en la ruta y acompañados de otros tipos de señales (luminosas, acústicas, hápticas o táctiles).
- Pictogramas. La orientación espacial ha creado un sistema de pictogramas que presentan analogía o parecido con la realidad que representan. Forman un sistema semiológico universal que supera las diferencias entre las lenguas.
- Señalización. Está formada por un conjunto de formas significativas (flechas, rugosidades en el suelo, señales lumínicas) que complementan de forma coherente la información de los mensajes lingüísticos y de los pictogramas.

Los sistemas de orientación en los espacios han de ser muy claros, fácilmente perceptibles, de diseño uniforme, de información continuada a lo largo del trayecto.

Comunicación y accesibilidad visual

Según la ONCE, «el 80 % de la información necesaria para nuestra vida cotidiana implica al órgano de la visión». La mayoría de nuestros conocimientos e informaciones nos entra por los ojos.

La discapacidad visual afecta a la configuración del pensamiento y tiene repercusiones en la forma de aprender. La eficiencia de la adaptación a los mecanismos de ayuda y el fortalecimiento de áreas que desarrollan sentidos complementarios se halla en relación con la edad. Existe un grado considerable de variedades, desde la ceguera absoluta hasta las patologías más benignas. Son personas con baja visión las que poseen menos del 20 % de agudeza o solo 20º de ángulo o campo visual. Las patologías menos severas se pueden corregir con dispositivos (gafas, lentillas, lupas, aumento de la letra...). Algunas cegueras son de nacimiento, mientras que otras son el resultado de patologías o accidentes posteriores. Este dato tiene importancia, pues influye en el desarrollo cognitivo. Existen asimismo afectados de forma simultánea en la visión y en la audición. Cuando esta patología es extrema, se habla de sordoceguera.

Recursos de legibilidad para personas con baja visión

Hasta finales del siglo XX los invidentes solo tenían acceso a la lectura a través de dos medios: el braille (sentido del tacto) y las grabaciones (sentido del oído).

En el braille, letras y cifras se transcriben por una combinación de puntos en relieve sobre hojas especiales. Es el sistema más utilizado, especialmente por los que lo han asimilado en época temprana. Ordenadores e impresoras especiales han facilitado su uso.

Desde finales del siglo pasado existen programas digitales que permiten convertir textos en voz: DAISY, JAWS, Adobe. Los lectores de pantalla actuales utilizan síntesis de voz y ofrecen prestaciones muy finas.

Existen cámaras diminutas que se adaptan a las gafas. Con algoritmos de inteligencia artificial se leen de forma instantánea textos impresos y digitales en voz alta.

Comunicación y accesibilidad auditiva

La pérdida total o parcial de la audición repercute en la comprensión y en la capacidad de interactuar en conversaciones. Se la ha denominado la discapacidad invisible, pues no se percibe directamente. La aplicación de las medidas varía según el grado de discapacidad.

Se debe evitar:

- Ruido. Dificulta la audición y distorsiona audífonos e implantes cocleares.
- Reverberación. El reflejo de las ondas sonoras ante obstáculos dificulta la audición en espacios interiores.
- Mal aislamiento de espacios, paredes...
- Distancia. El sonido se debilita a medida que se aleja del emisor.

Se aconseja en la conversación:

- Atraer la mirada y la atención de la persona con sordera.
- Vocalizar bien y no taparse la boca para favorecer la lectura labial.
- No aumentar el volumen ni la velocidad de dicción.
- Utilizar frases cortas y léxico conocido.
- No hablar en movimiento o mientras se camina.
- Respetar los turnos y no encabalgar las intervenciones.
- Repetir cuando se tiene la impresión de no haber sido comprendido.

Lenguas de signos

Son sistemas comunicativos visuales y espaciales ideados para la comunicación con o entre personas con discapacidad auditiva. Utilizan movimientos de los dedos, las manos y los brazos, así como gestos del rostro. Existen numerosas lenguas de signos. Posibilitan la conversación y la transmisión de contenidos en actos públicos o transmitidos por medio de pantallas. Exigen un aprendizaje. Su aplicación es enormemente útil.

Recursos personales

PRÓTESIS AUDITIVAS. Los audífonos amplían y adaptan las ondas sonoras. Se han perfeccionado notablemente en técnica, estética y ergonomía. Su gran utilidad para las hipoacusias no severas ha extendido su uso. Los implantes cocleares se utilizan en algunos tipos severos. Se colocan en el oído interno.

SEÑALIZACIÓN VISUAL. Visualiza los mensajes orales de varias formas:

- Subtítulos. Útiles en pantallas (cine, televisión, teatro, retransmisiones...) y para toda la población cuando se emite en una lengua no conocida.
- Megafonía. Aumenta el volumen, depura los ruidos y mejora el timbre. En espacios grandes (aeropuertos, estaciones, estadios, teatros, etc.) se aconseja complementar los mensajes de voz con pantallas visuales.
- Señales luminosas. Son útiles para todos en la vida social (sirenas de policías y ambulancias) y especialmente para personas con discapacidad auditiva.

TECNOLOGÍA MODERNA

- Bucle magnético. Es una instalación inalámbrica que se coloca en los grandes espacios y envía la información directamente a audífonos e implantes.
- Frecuencia modulada. Equipos que transmiten las intervenciones en frecuencia modulada a audífonos e implantes cocleares.
- Signoguías. Guías visuales en pantallas de dispositivos portátiles que transmiten información grabada previamente. Muy útiles para museos y exposiciones.
- Gafas virtuales. Permiten leer en subtítulos las intervenciones en informaciones contextuales de películas o espectáculos que se proyectan en ellas mismas.

En la actualidad se perfeccionan nuevas tecnologías que permiten, por ejemplo, traducir mensajes orales a una lengua de signos. Merecen especial atención los destinados a comprender televisión, internet, teléfono, cines y teatros...

Comunicación y accesibilidad cognitiva

Se diferencian cuatro tipos de discapacidad: física, visual, auditiva y cognitiva.

Las personas con dificultades cognitivas encuentran impedimentos graves para disfrutar de autonomía comunicativa. Los procesos de accesibilidad pretenden garantizar su capacidad de información, de orientación, de comprensión, de toma de decisiones...

Problemas cognitivos y comunicación

Son numerosos los problemas que relacionan facultades cognitivas y comunicación:

IDENTIFICACIÓN Y MEMORIA ESPACIAL. Las personas con discapacidad cognitiva suelen tener problemas para interpretar señales, mapas, instrucciones, informaciones deícticas, etcétera.

ATENCIÓN. Algunas discapacidades afectan directamente a la concentración necesaria para seguir un discurso, entenderlo, analizarlo y sacar conclusiones.

INTENCIONALIDAD. Se carece de la empatía para comprender la intencionalidad en los mensajes (indirectas, críticas ocultas...).

LENGUAJE FIGURADO. Dificultad para comprender el lenguaje figurado (metáforas, símiles, metonimias, sinécdoques, hipérboles, lítotes, especialmente ironías...).

COMUNICACIÓN SOCIAL. La persona experimenta la dificultad de relacionarse con los demás, de romper el hielo en los primeros encuentros, de salir de su aislamiento. Encuentra dificultades para analizar y comprender el comportamiento de los demás.

CÓDIGOS SOCIALES. Se experimenta desinhibición ante las normas de cortesía, temas vitandos y otros filtros.

ESTRÉS. Puede producir bloqueo cognitivo, deficiencias de atención y otros factores que alteran la comprensión de los mensajes.

Actuaciones

La accesibilidad cognitiva en comunicación está formada por todos aquellos recursos y procesos que permiten que las personas con dificultades cognitivas (comprensión, identificación, memoria y relaciones sociales) puedan superar barreras y comunicarse de forma eficiente.

Se calcula que las personas con discapacidad cognitiva son aproximadamente el 1 % de la población. Sin embargo, los beneficios de las medidas que se tomen para mejorar este espacio afectarán favorablemente a personas segregadas por un índice cultural bajo (un 20 %) y a los ancianos (en torno al 9 %), y mejorarán la claridad para toda la ciudadanía.

Recomendaciones generales:

- Ordenar la información de forma clara y lógica.
- Aportar señales continuadas para que la persona con discapacidad cognitiva pueda identificar distintos espacios y moverse en ellos con seguridad.
- Introducir señales sucesivas para marcar la ruta (*wayfinding*).
- Combinar formas intuitivas y colores perceptibles y asociados a contenidos.
- Emplear vocabulario esencial, sencillo, común en el uso y fácilmente memorizable.
- Escribir frases cortas, escuetas y ordenadas.
- Acudir a pictogramas complementarios de la información escrita.
- Aportar ejemplos.
- Ayudarse de publicaciones de lectura fácil.
- Ejercitar la atención a la lectura con breves textos de su interés.
- Favorecer las competencias comprensiva y expresiva con ejercicios variados.

Lectura fácil

Lenguaje claro y lectura fácil

Lenguaje claro y lectura fácil no son conceptos equivalentes y ni siquiera se utilizan en el mismo ámbito.

Las comunicaciones en lenguaje claro cuidan los requisitos de transparencia y son inteligibles por la gran mayoría; sin embargo, no están adaptadas a personas con dificultades de comprensión. Según criterios internacionales, un comunicado está escrito en lenguaje claro si su redacción, su estructura y su diseño son tan transparentes que los lectores a los que se dirige pueden encontrar lo que necesitan, entender lo que encuentran y aplicar esa información.

Lenguaje claro y lectura fácil. Rasgos comunes:

- Persiguen el objetivo de facilitar la comprensión de los textos.
- Se expresan con sencillez gramatical y léxica.
- Evitan la redundancia, la ambigüedad y la vaguedad.
- Eluden la densidad de contenidos y buscan el valor recto de los mensajes.

Lenguaje claro y lectura fácil. Diferencias

- La lectura fácil está diseñada para personas con problemas cognitivos. El lenguaje claro trata de facilitar la comprensión de textos técnicos complejos.
- La lectura fácil reduce la información para que el destinatario entienda lo esencial. El lenguaje claro facilita la expresión, pero no reduce el contenido.
- La lectura fácil se apoya en criterios formales de legibilidad. El lenguaje claro se centra en la lecturabilidad, en la transparencia.

¿Qué es la lectura fácil?

La lectura fácil es un método de escritura pensado para las personas con discapacidad intelectual (es decir, con problemas de atención, comprensión, memoria, inferencia...). Pone énfasis en la facilidad del diseño formal, en la ausencia de densidad léxica y conceptual, así como en el uso de recursos gráficos.

Un ejemplo:

> Don Quijote de la Mancha
>
> Explica la historia de Alonso Quijano,
> un hidalgo que se vuelve loco
> al leer demasiados libros de caballerías.
>
> Así, decide cambiar su nombre
> por el de don Quijote de la Mancha,
> abandona su aldea
> y sale al mundo dispuesto a reparar ofensas,
> junto con su fiel escudero, Sancho Panza.
>
> Pero los disparates y los malentendidos
> acompañarán a estos 2 personajes
> en todas sus aventuras.
>
> (Editoral Almadraba)

Recomendaciones:

Palabras:

- Utilizar palabras breves, conocidas, empleadas en el uso diario.
- Usar la misma palabra siempre para designar la misma realidad.
- Evitar siglas, abreviaturas y palabras extranjeras.
- Evitar pronombres comodines (*él, su*...) o de referencia ambigua.
- Evitar metáforas, ironías y otras figuras de contenido.
- No dividir palabras en dos líneas.

Frases:

- Emplear frases sencillas y cortas (extensión de un verso).
- Seguir un orden lógico sencillo (sujeto-verbo-complemento).
- Emplear una frase para cada idea.
- Utilizar oraciones afirmativas.
- Eludir pasivas e impersonales.

Discurso:

- Elegir lo esencial y eliminar lo accidental.
- Seguir un orden cronológico.
- Utilizar ejemplos comprensibles.
- Repetir cuando sea necesario.
- Escribir párrafos muy cortos (en torno a 6 líneas).
- Escribir un resumen o conclusión.

Legibilidad:

- Dar prioridad a las minúsculas.
- Emplear letras de palo sencillo.
- Reducir al máximo las negritas, las cursivas y los subrayados.
- Utilizar una letra de tamaño grande (13-15 puntos).
- Emplear un interlineado amplio (1,5 puntos).

Accesibilidad educativa

Uno de los espacios de mayor relevancia del programa de accesibilidad para todos es la educación. La aplicación de los principios del diseño universal resultaron beneficiosos no solo para las personas con algún tipo de discapacidad, permanente o temporal, sino para la totalidad de la ciudadanía. Exigió un cambio de mentalidad, una forma nueva de enfrentarse a la inclusividad: un diseño pensado para todos y programado desde el inicio del proceso.

El éxito reconocido de la accesibilidad universal en numerosos espacios impulsó desde finales del siglo pasado varias líneas de propuestas orientadas a la educación: el Diseño Universal para el Aprendizaje (DUA) y Diseño Universal para el Aprendizaje Accesible (DUA-A). Parten de principios básicos comunes:

- En la educación tradicional se hallaban instauradas barreras (suspensos, reválidas, selectividad) que cerraban el paso a quienes no las superaban. En tiempos más cercanos, se diseñaban currículos para la mayoría, es decir, para los alumnos que situados en los puntos medios de la campana de Gauss. El resto, los menos y los más dotados, quedaban fuera de la programación.
- La igualdad de las personas y la necesidad de suprimir barreras en la educación es un derecho reconocido por la Asamblea General de Naciones Unidas (2006).
- Una educación inclusiva debe adaptar los currículos a las personas y no las personas a los currículos, aun cuando estos se piensen para una amplia mayoría. Si los alumnos aprenden de forma diferente, ¿por qué aplicar las mismas pautas para todos?
- Se opta por una enseñanza inclusiva que parte de la singularidad del aprendizaje de cada alumno. Es decir, una forma de aprendizaje verdaderamente personalizada.
- Se promueven currículos flexibles capaces de ajustarse a las necesidades, a los ritmos y a las singularidades de cada aprendiz.
- Se buscan en la neurociencia fundamentos científicos que respaldan los principios en los que se apoyan sus propuestas didácticas.

Índice

III. Nuevos horizontes en el lenguaje claro

IV. Claridad lingüística

IV.1 Morfología

IV.2 Sintaxis

IV.3 Discurso

IV.4 Semántica

IV.5 Ortografía

V. Comunicación accesible